萧乾 主编

新编文史笔记丛书

第三辑

26

山左鸿爪

李骏昌题

◎山东省文史研究馆 编

●李骏昌 张蕾 萧思贵 主编

中華書局

目录

文宗风采

历史风云

仕宦漫录

乡曲豪雄

学海钩遗

菊苑折枝

经济史迹

在水一方

民俗风情

名物荟萃

序

萧　乾

读书界向来对野史有所偏爱。野史大多是信手拈来的历史片断，且往往出自亲历者之手。文直事核，不虚美，不隐恶，而文笔潇洒自如，意味隽永，自然朴实，篇幅不长；可以摊开来仔细咀嚼，也可供茶余酒后、行旅倥偬中，随手浏览。

鲁迅在《华盖集》中，曾几次对野史表示过好感。在《忽然想到》一文中写道："历史上都写着中国的灵魂，指示着将来的命运，只因为涂饰太厚，废话太多，所以很不容易察出底细来。正如通过密叶投射在莓苔上面的月光，只看见点点碎影。但如看野史和杂记,可更容易了然了,因为他们究竟不必太摆史官的架子。”又在同书《这个与那个》一文中说:“野史和杂说自然也免不了有讹传,挟恩怨,但看往事却可以较分明,因为它究竟不像正史那样地装腔作势。”

全国文史研究馆所编的《新编文史笔记》丛书,内容也属野史杂说的范畴。我们希望这些以亲闻、亲见、亲历为主的轶事掌故、琐闻杂记,写人、事而摒除误会曲解,述历史而符合真实面目。

作为一种短隽有味,文字清奇而又雅俗共赏的文学体裁,笔记在中国具有悠久的传统。它始自魏晋,盛行于宋代。南朝刘义庆的《世说新语》,北宋沈括的《梦溪笔谈》,南宋陆游的《老学庵笔记》,明朝张岱的《陶庵梦忆》,清朝纪昀的《阅微草堂笔记》以及20世纪30年代初丰子恺的《缘缘堂随笔》,都是文学史上的奇葩。然而,近年来笔记乏人问津。因此,我们出这一套书,也包含着挽回颓势之意。

全国三十二所文史研究馆拥有雄厚的稿源,两千多位馆员和各馆联系的社会人士,都是丛书的撰稿人。他们都是文史界的耆宿,见多识广,阅历丰富:有的反对过帝制,有的在“五四”运动中扛过大旗,他们目睹过军阀的横行霸道,也经历过艰苦卓绝的八年抗战。这些历尽沧桑的饱学之士,他们的所见所闻,都是弥足珍贵的史料。

本丛书分辑出版，分别由各地文史研究馆编辑,内容亦以本乡本土为主。因此,各册势必具有浓厚的地方色彩。

本着笔记固有的传统，所收各文题材不嫌庞杂。举凡与文史有关的政治、经济、军事、文化、社会等方面,或记闻见杂事,或叙往昔交游,或忆社会百态,均在搜罗之列。时间跨度则自清末以迄1949年为止。这正是中华民族从闭关自守到走向世界,从落后羸弱到奋发图强,是天翻地覆、风起云涌的大半个世纪。其间,发生过多少可歌可泣的事迹,涌现过多少杰出的人物。以这一时间跨度为背景题材写出的笔记作品,必然是内容最为丰厚的。

在选稿标准上,我们坚持史料一定要真,内容要新;既要防止以讹传讹,也力避炒冷饭。在写法上务求短小精悍、生动活泼。每篇以千字为度,希望借此在文风方面,提倡一下简约。在版式上,则想做到既利于阅读,又便于携带。

恳切希望文史界方家及广大读者，不吝赐正。

傅斯年练字

傅式霞

见过傅斯年墨宝的人，都知道他的书法刚劲潇洒，功底深厚，这主要得力于他早年的勤学苦练。他的祖父傅淦是清朝的拔贡，能写一笔欧体好字。老先生最爱长孙斯年，从小就教他写字，上学之后，仍在家督课教练。晚上就寝时，也叫小斯年同自己睡在一个被窝里，在他的小屁股和小肚皮上写写画画，帮他温习，久而久之，小斯年养成了在身上写字的习惯。上私塾之后，又从《论语》上找到了根据："书诸绅。"当然，傅斯年童年时已没有绅带，只好在腿上、胳膊上用毛笔练字，写了擦，擦了写，一身衣服常被染得墨迹斑斑，惹得其母李老夫人哭笑不得。直到傅斯年成为全国知名的大学者，老太太还常跟熟人笑谈此事。

朱仲辉的母亲是李老夫人的干女儿。抗战期间，朱先生曾长期随侍老夫人，照料其饮食起居，以故有机会听她谈及傅斯年童少年时代之事。1950 年朱先生去台湾，傅将他安排在台湾大学总务部门任职。现朱先生已退休，1988 年回大陆探亲时，余亲闻其笑谈此事。

傅老大又得了俩烧饼

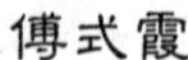

傅式霞

光绪二十七年(1901)，傅斯年入孙达宸之塾学读书，两年后，转入聊城城里袁宅街朱家私塾，同窗有朱笠笙、朱叔明等十几人。当时傅斯年虽然只有七八岁，却已显露出超人的聪明才智，出口成章，下笔成行，《四书》、《五经》背诵如流。任教先生马殿仁布置作文，傅斯年沉思片刻，即可迅速草成交卷，而其他学生伏在桌上半天写不出几行。某日有个同学央求傅斯年为其代笔，傅怕他作不出文章挨板子，便欣然应允，事后那位同学买了个烧饼给他，算是报酬。从此不少同学都照例行事，傅也总是有求必应。有时自己的文章作完后，能一次为两个同学代作。但这并未能逃过马先生的慧眼，一次马先生笑嘻嘻地把傅叫到跟前问："傅老大，今天你又得了俩烧饼？"傅不好意思地笑了。傅氏兄弟俩，斯年行大，故师生们都习惯称他为傅老大。

朱叔明也曾请傅斯年代笔，其子朱承德现为退休老教师，又是我的同乡，他多次同我谈起上述诸事，我亦经常向他请教。

山东辛亥先驱赵魏

桑乐泉

赵魏，字象阙，辛亥革命烈士。家住山东省寿光县斟灌城里庄。祖父赵双峰，前清时曾任宁阳县教谕，父亲赵化溥是当时名士，曾因反袁世凯窃国被囚禁数年。赵魏幼时入乡塾，十五岁跟父亲学习文词、音乐，能弹古琴。前清变法后，他由本县高等小学升入青州中学，并加入同盟会。学习四年，因反对青州黄知府而被开除。后又入青岛震旦公学，该校系由革命党人建立，被德帝国主义者强行封闭。赵魏便北渡渤海到了呼兰。呼兰知府黄维翰对他十分器重，任他为大用井小学教员。他任教期间，一面教书，一面作反清的秘密工作。后机密泄露，便速回省，到济南进入存古学堂，借以隐蔽形迹，等待时机。不久，革

命军武昌首义，山东也组织了学生团，革命党人吕子人、陈明侯等率众南下。未南下的尚有千馀人，都困集青岛，募捐为用，困难重重。这时赵魏带领寿光同盟会员来到青岛，大家都非常高兴，推举他为革命军司令。商议起义地点时，赵魏极力主张到青州攻打清廷兵营。同事某制止说："青州东有巡防，北有清营，危险极矣！"赵魏振臂斥之曰："迂儒，虑危险则安居，何来此为？吾山东人不能振奋，徒日俟南军之至，是奴隶也。为奴隶不如死！"众皆折服，计划遂定。赵魏命令部下于 11 月 27 日行动，分三日陆续由青岛向青州进发，并定于 12 月 1 日宣告青州独立。他本人于 30 日下午两点到达青州，一批革命军同志在车站等候，赵命他们由东道入城，他则独自提皮包进城。行至夏家庄庙东，被满人侦探头目瑞增所杀。弹中头部，当即牺牲，年方二十六岁。后国民党追授他为中将烈士。

孙中山济南讲演遇"险"

马节松

我读中学时曾寄居于父执、辛亥革命山东领导人之一邓天乙家中，听他与王墨仙、张公制谈及孙中山先生 1912 年 6 月来济南之事。中山先生抵济时，省议会与各界代表前往车站欢迎，殊不知先生已随下车乘客出站，雇黄包车进城。随后先生应邀在省议会大厅对议员、教育界人士及学生代表讲演。议会大厅仿英国议会大厦修建，穹窿圆顶，里面分上下两层，座席是木制连椅。张公制议长陪同孙先生登上楼下北面正中主席台时，场内座无虚席，听众欢呼鼓掌，讲演开始后则鸦雀无声。中间休息十分钟，孙先生未离会场，径自走下讲台与前排学生握手谈话。此时二楼后排的听众急欲一睹孙先生风采，却碍于前排挡住视线，索性踏上连椅靠背的横板向前张望。突然一声震耳脆响，一条连椅背踩断，全场大惊。有人疑为炸弹爆炸，有人喊有刺客，楼上楼下一片纷乱。独孙先生异常镇定，挥手请听众坐下，场内很快平静下来，先生继续讲演，讲演后又婉言谢绝了省议会的宴请。

王、张二老对我讲述此事时再三称道：中山先生胆识过人，有泰山崩于前而色不变的气度；其平易近人、节俭朴素的风范尤其令人钦佩。

孙墨佛、安田作子合影浅释

王昭建

1981 年《人民画报》有一期上有幅照片，为辛亥革命七十周年纪念筹备委员会 10 月 10 日举行茶话会时，人大常委会副委员长邓颖超会见辛亥革命老人、山东莱阳孙墨佛与商震日籍夫人安田作子的合影。其中坐俯视者是孙墨佛，两侧隔桌握手言笑者左为邓颖超，右是安田作子。他们三人何以共坐合影,无人能解其故。有人问及孙老的公子、当代北派画家孙天牧世兄时,他也说不出,竟尔转来问我。

原来,此中有一段革命历史故事:孙墨佛、商启予(商震)均是早期的同盟会员。民国三年，孙中山在日本改组中华革命党准备讨袁，民国四年任命居正(觉生)为中华革命军东北军军长。次年攻占潍县时,商震任该军参谋长,孙墨佛(尧天)任秘书,蒋志清(介石)任上校参谋。因此孙墨佛与商震既是革命同志又为知交好友，多年往来不辍。这就是邓颖超与孙墨佛和安田作子合影的渊源。西安事变之翌年元宵节,我有幸与孙墨佛及被称为“南章北景”的山西景梅九(定成)、号称辛亥革命陕西及时雨的焦子靖及王子端等人同在西安老饭馆得名楼聚饮时，曾听他们津津乐道这桩旧事。

马方晟人小志大

李障天

马方晟,后易名马耀南,抗日民族英雄,曾任八路军三支队司令员,1939 年 7 月 22 日在对日军战斗中光荣牺牲。

1920年马方晟考入省立一中。一中是名牌学校，不少学生皆为钱势子弟。他们锦衣美食，比富竞奢，影响所及，使某些农村孩子亦竞相效尤，一时浮华成风。只有马方晟安常蹈素，依然身着旧式土布上衣，折腰长裤，圆口布鞋，冬天还扎着腿带子。学校没有食堂，外地学生都在附近饭馆吃包饭，每顿一碟菜，两个馍。不少人受不了这样清苦，就添钱加菜。马方晟从不挑剔，坐下就吃，吃了就走。有人耻笑他是小气鬼，守财奴，他一笑置之，并说："欲成其大事而耻恶衣恶食者，此不足与议也。"在学习上，他孜孜以求，标准极高，连体育、美术课也要力争上游。他的美术作品常常被选在壁报上张贴，水彩画尤其拿手。他一有空闲即钻图书馆，几乎一天到晚手不释卷，同学们爱称他"书迷"或"书呆子"。

一中校长孙炳炎是美国哥伦比亚大学留学生，对英文很看重，所以一中的英文程度比一般中学高。马方晟学习刻苦，在班内首屈一指。他把一本《英文字汇》装在衣兜里，常与同学比赛记单词，他记得格外多，格外熟，同学们有疑难就找他，他不用查书就能准确回答，所以人称"活字典"或"字篓子"。也有人讥讽说："好好学洋文，以后可以当洋奴，发洋财！"他听后平静地回答说："学一种外文还嫌少呢，将来应该多学点。当洋奴得有奴性，咱有吗？恰恰相反，学外文长知识，开眼界，正是为了振兴中华，不当洋奴。"

马方晟有很强的判断力，是一个清醒的爱国者。当时，徐世昌当总统，外有帝国主义侵吞掠夺，内有封建势力割据纷争，国势日下，民怨沸腾。有志青年无不关心时事，忧国忧民。马方晟先后参加了学生组织的“励志会”、“自治会”和邓恩铭发起的“马克思主义学会”，努力寻求救国救民的真理。有个外国人到一中讲“德谟克拉西(民主)”使他兴奋异常，认为民主是对付封建专制的枪弹，是医治社会弊端的良方。从这以后他总爱模仿讲演人，在同学中反复宣传“by the people, for the people, of the people”(民有、民治、民享)。

1921年，日本人在胶济铁路无理殴打中国工人，激起了学生义愤，纷纷到省府请愿。军阀政府不敢向日本人抗争，还为他们开脱罪责。马方晟很气愤，说：“纯粹是卖国政府，帝国主义的代言人，反日仇日得踢开他们！”并在日记中写道：“时而思及日本如是逼我，不以岳飞痛恨金朝之心为心，何足以作现在之青年乎！”胶州湾事件发生后，学校罢课，马方晟积极组织“十人团”走上街头，抵制日货，开展爱国宣传。他对同学说：“舜何人也，予何人也，当今之世，我们必须担负起历史赋予的重责！”激情迸发，气势豪迈，大有救亡扶危舍我其谁之慨。

瞿圆初客死济南

李若西

瞿秋白之父瞿圆初先生在妻子死后随其兄来到济南，一直寄居一位朋友家中，以教书、卖画为生，最后客死此间。瞿秋白在其著名散文《饿乡纪程》中，曾生动记叙过来济探望父亲以及父子于明湖话别的情景。

圆初先生名世玮，字稚彬，号一禅，道号圆初，是一位山水画家。"圆初"本是济南道院所用道名"素、圆、尉、灵"中的"圆"字辈。先生以道号行世，大约带有因其爱子参加革命而决心隐没江湖之意。

秋白文中所述"父亲朋友的家"，据查，就是当时济南城内娘娘庙街(现名岱宗街)十五号路北王璞生家。而"父亲和我同榻，整整谈了半夜"的房子，即王宅二门外南屋，系主人的书房。娘娘庙街位于大明湖南岸，这座宅院就坐落在此街百花洲东畔，距鹊华桥码头不足百步之遥。故而，圆初先生能够如文中所述，偕同知友步行去一家湖滨小酒馆为远行的爱子饯别。

湖畔话别后，圆初先生又在济南生活了十二年，直至病故。其间，父子还曾见过一面：1923年瞿秋白在军阀政府的严令通缉中秘密来济见父，匆匆一晤，当晚即冒大雨乘车南去。在困居济南的日子里，圆初先生的景况十分窘迫，但他清贫自守，安之若素。即使是大革命时期，瞿秋白已是中共的主要领导人，他也缄口不谈自己的儿子，惟恐给秋白增添麻烦。

1922年，画家俞剑华等人在城内贡院墙根街创办“私立山东美术学校”，瞿先生被聘为山水画教师。十馀年间，先生一直与学校密切联系，虽有职无薪，仍为培养青年倾心尽力。著名画家李半残、韩少婴、王凤年等均曾受业于他的门下。先生病故于1932年6月19日，终年五十八岁。殁时，身边只有一个耳聋多病的小儿子(后流落寺院，当了道士)，多亏朋友和学生料理，才得以安葬。斯时，大夜弥天，瞿秋白正在上海与文化主将鲁迅并肩战斗，以其犀利的笔锋同国民党的文化“围剿”进行殊死的斗争。直至三年后在江西长汀高唱《国际歌》从容就义，始终不知父亲所终。

1987年山东省文史研究馆馆员、名画家王凤年先生曾在杂志上著文，回忆师生之谊，悼念瞿圆初先生。至今，当年百花洲畔的王家老宅旧貌犹存。

王尽美、邓恩铭多才多艺

方　正

出席中国共产党第一次全国代表大会的两位山东代表王尽美、邓恩铭,不但是宣传革命思想的先驱,而且都多才多艺。王尽美娴于丝竹,1922 年 1 月参加莫斯科举行的远东各国共产党及民族革命团体代表大会期间,曾以琵琶弹奏《梅花三弄》等中国古典名曲,为听众所激赏;另据邓恩铭的弟媳回忆,恩铭也善操胡琴,常自拉自唱以抒胸臆。

近又发现,这两位革命家还都长于丹青。1923 年 5 月,王尽美筹备并主持了在济南教育会场举行的马克思诞辰纪念会,会场上悬挂的马克思巨幅炭画像就是王尽美所绘制。1926 年,邓恩铭作了一幅时事漫画,立意极佳,下笔亦颇不俗。画题是《张贼宗昌之残忍》,署名又铭,画面左边绘张宗昌以军用票作碓臼,榨取劳动人民的血汗;中间绘张宗昌持刀屠杀北京《社会日报》社长林白水,逮捕北京《世界日报》主编成平;右侧于大堆骷髅间绘一张宗昌全副武装半身像。按,林白水为敢于揭露军阀、支持爱国运动的名记者,继《京报》社长邵飘萍之后被张宗昌所害。成平即成舍我,所编《世界日报》其实并无“过激”言论，竟也不见容于张宗昌。邓恩铭于1925年11月在济南被捕，他作此画时已保外就医出狱，正受中共山东地方执行委员会派遣，在青岛整顿党的组织。此画见贵州人民出版社1990年版《邓恩铭遗作选》。

“江北第一人”王鸿一

何 项

济南四里山北麓，翠柏掩映中有一区陵墓，周环石柱，贯以铁索，气象森然，石坊巍立，颜曰：“王鸿一先生陵园”。

王鸿一(1875—1930)，名朝俊，初字黉一，后作鸿一，以字行，山东郓城县刘楼村人。少孤，随母就读于外祖氏。二十岁以高第为附学生员。1900年入山东高等学堂，次年被选送日本宏文学院深造，加入同盟会，追随孙中山先生从事革命活动。1903年学成归国，先后在菏泽创建中小学堂、警务学堂、职业学堂数十处，并任曹州中学堂监督。辛亥革命前在菏泽组织“尚志社”，鼓吹革命，支持热血青年赴鄂、沪参加反清武装斗争。民国成立后，任山东提学使，对本省教育维新，建树颇多，并以惊世骇俗之举从事社会改革，其尤著者，当推自新学堂与善后局之创建。

早在1904年，鸿一先生即在菏泽城东北建立自新学堂，吸收无业游民及有不良行为之青年入学，由学堂向官府具保，对其往日所为概不追究，教彼等改过自新，并授以谋生之术。向属危害一方之匪痞时恩禅等人，经感化教育，翻然悔悟，时人称善。有王金妮者，先入自新学堂，后又于1915年结伙抢掠，地方豪绅乃啧有烦言，且挟嫌以管教不严罪指控鸿一先生。先生以长者之心，自任其咎，对簿公堂，坦然入狱。各地自新学堂诸生，闻此益感泣自励，争欲以身代先生任罪，奔走呼吁，全省哗然。期年，事乃解。

先生又申请政府拨款资助，创办菏泽善后局、郓城黄安工艺局，实施以工代赈，组织贫民结发网、织地毯，亲任其事，效益卓著。1915年将善后局所制草帽辫送旧金山巴拿马万国博览会展出，获优等奖。

1917年王先生当选山东省参议会议长，兼任省立第一中学校长。1922年移居北平，参加创办中华日报社。后在太仆寺街建西北垦殖局，招募贫苦农民数千人，至绥远河套地区垦荒自救。济贫、垦边，两获其利。

王鸿一先生于反清反袁斗争勋绩卓著，于社会改革每多创举，造福地方，嘉惠实多。以故，孙中山先生许为“江北第一人”。

1929年鸿一先生以国民革命军高级顾问身份，策划冯玉祥、阎锡山联合倒蒋，往返奔波，操劳过度，肺病复发，次年逝世于北平协和医院。

山东省政府主席韩复榘原为冯玉祥部下，

平素对鸿一先生执礼甚恭，但于倒蒋中叛冯投蒋，使王先生策划之伟业付诸东流。先生殁后数年，韩为收买人心，遂于1936年将先生灵柩归葬四里山，陵园即此时所建。先生地下有知，必有不平之慨矣。

李竹如少年豪俊

李　弢

1923年春节李竹如(新闻界知名人物)自惠民四中返乡度假，自书春联揭于门庭，上联“马列传天下”，下联“世界要大同”，门楣横书“天下统一”。堂房上联“堂堂中华但有内战外患”，下联“小小家庭且喜老安少怀”。时李年甫十八岁，其春联传诵乡里，震动地方，迄今庄科(竹如原籍利津庄科)老妪尚能忆诵。

1934年秋冬之交，竹如自平原乡村师范毕业返回济南，与昔日师友杨沛如等集资三千七百元，筹办新亚日报社于济南，从其事者还有徐子俊、徐茂谦等。次年元旦《新亚日报》创刊，竹如亲书“大众喉舌”四个大字，张于报社门前，以鼓舞员工斗志，向社会昭告办报宗旨。但为防备韩复榘干预，实现宣传抗日之目标，对山东地方政府避免批评。《新亚日报》创刊后，一时成为齐鲁大地抗日舆论的中心，以致触怒了日本人。日本驻济领事西田立即唆使日本浪人以及中国无耻之徒借故大砸新亚日报社,《新亚日报》被迫停刊一日。

按,李竹如后为《大众日报》创刊人之一。

隐居泰山时的冯玉祥

涂北文

抗战前夕,冯玉祥将军失败挂冠之后,在山东省主席兼第三路军总指挥韩复榘的照拂下,隐居于泰山西麓普照寺附近。韩复榘是冯旧部,碍于情面,表面上尊礼有加,暗中却害怕他的老上司在山东伺机夺其军政大权,故冯居泰山中,韩的便衣军警则遍布泰安城乡及火车站。为此在岱庙西院和雨花道院之间划出一部分修建旅馆(似乎叫"民众旅馆"),其中就住了些冒充旅客的暗探。

冯自然也并不甘心做隐士,确实是图谋东山再起,虽已无兵员,却保留了几个师的人员编制。他的许多下级仍以师、团、营、连长的名义随冯在泰山居住,并照原职级别支俸,显然是一俟时机成熟,即可招募士兵组成劲旅,老韩岂能不怕(当时百姓呼军政大员皆冠以"老"字,如老韩、老冯、老蒋等)。我家坟茔在普照寺西邻、投书涧之东,并在此建有一座四合院。租种祭田的农户住厢房,正厅为我家扫墓休息之用,此时即被老冯的一位军官借住安家。某次登山扫墓,军官夫人请我们到正厅喝茶,她向母亲说起其夫的薪金为每月二百来元。闲居白拿高薪使童年的我吃惊,因为我父任师范校长,在泰安也是个头面人物,但月薪不过百馀元而已,其时面粉才二元一袋,白布四元一匹也。老冯以此巨资养士,在老韩的心目中,自然是"居心叵测"了。

冯玉祥此时正在号召大众化、平民化。他住投书涧东,又在涧西王家庄子有居处,来往颇不便,于是在涧上筑一石桥,即题名"大众桥"。又在桥东西两端道路的南北两侧各建一亭,四个亭子各以一位达官的名字命名,记得有宋哲元,可能还有李烈钧(当时曾专程赴泰山访冯)。有一座"向方亭"是纪念老韩的(韩字向方),位桥东北侧,恰在我家坟山界内。施工前并未打招呼,有几家居民曾怂恿先父为代表去交涉。先父说:"修亭子也是方便行人,况且范老先生在他家,看我老师的面子我也不能出面开口。"其时冯正延请范明枢先生教授他儒书,《读春秋左传札记》一书即是在范老授读下完成的。

先父是否与冯有交往,我不记得,只记得书架上曾有冯所赠的著作数册,绿绸面烫金精装,很是豪华。当时我读不懂,只喜欢看由冯题诗、赵望云绘画的几本画册。赵乃西北画家,其风俗画在《大公报》连载后,得到冯的赏识,遂约其合作,印成画册,每页上画下诗。赵望云先生常来我家,因此我家存有他题赠先父的绘画多幅。

我只在路上碰见过冯,但和其夫人李德全有过接触。大概是庆祝三八节罢,先母应邀筹备。大会开幕前我到休息室找她,她正与李德全共坐晤谈。李对我随口夸了一番“聪明、秀气”之类,我的印象是她衣着朴素,异常整洁,以一尘不染的风度迥出于众女士之上。

冯玉祥泰山办学

涂北文

冯玉祥将军退居泰山时,颇为当地做了些好事。除逢节日向山中贫民赠送粮肉礼品外,尚办了几处小学,均名为武训小学,盖冯景仰义丐武训之为人。

武训小学招收贫家子弟入学,每人发面盆、牙刷、牙粉等,以养成其卫生习惯。泰山虽有溪涧潭瀑,但山民汲水颇困难,至冬春两季,溪涧亦多干涸,取水更为不易。山质为花岗岩,无泉,亦无井,只能取地表径流以饮,担水于崎岖远距之地,故居民惜水如油,平时不洗澡,儿童甚至非逢节庆不洗脸,何况漱口刷牙!冯氏力纠此陋习,于校中雇工贮水,规定每日必洗漱。但学生积习难改,以洗涤为畏途,在教师督促下才勉强以应付公事之表演动作,草草了事。故其面虽白，但脖颈则垢腻如车轴，人呼之为“银勺铁柄”式。冯有时亲临学校，发现此黑脖白颊之儿童，立即捉住，令其站成一排，亲手一一按其颈在脸盆上，浓涂肥皂，用力搓洗之。儿童被搓得面红耳赤，几乎落泪。虽非体罚，但从此稍改其陋习矣。然儿童在道上遥见冯来即逃而避之，此亦冯始料所不及者。

在校学生各发粗布制服一套，书籍文具亦由学校供给，免交学杂费。课本亦有冯氏自定者。河北某学究编有启蒙童谣，以顺口溜之俗语宣扬孝悌仁义、勤俭力田等道德观念，冯氏请赵望云先生每歌插图一帧，彩印成册发给学生，其第一首为：“小小子，到南洼，刨个窠，种西瓜。叶儿绿，花儿黄，结个西瓜敬爹娘”云云。冯氏亦喜作“诗”，其风格与此相同，故而欣赏推广之也。

某年冯氏在泰山西麓新居举办学生成绩展览会，汇集诸武训学校学生之优秀作业与手工制作，邀请城内居民前往参观。吾妻当时尚幼，随其姨母及邻里姑嫂同去。伊回忆云：看到学生缝制之布娃娃甚精美。凡领儿童者，参观后均让至休息室，招待茶水及京式绿豆潮糕。有的妇女趁隙纳入衣袖，而任招待员之教师频频告诫：“请吃，不要拿！”当日参观者络绎不绝，小贩皆被拦于山坡门外，盖因冯氏嫌其不洁净。又虑儿童饥渴，故专备糕点以饷之，可谓用心周密。或为李德全夫人所筹划者欤？

冯氏虽周济其居处附近之贫民，但不允其

浪费,见吸烟饮酒者,往往当面训斥,犹如对待其士兵然。西北军列队行进时,每呼"烟酒必戒"之口号,而冯于赌博尤为深恶痛绝。

冯玉祥为我作题画诗

刘敦和　口述

周雪平　整理

我于1935年考入北平艺专, 专攻国画,曾受业于艺术大师齐白石、溥心畬、王雪涛、吴光宇诸先生。"七七"事变后,我随校先后迁移庐山、沅陵、昆明,后抵重庆,在南山中学任教。适逢隔壁住着前燕京大学教授刘仲和、何静安夫妇一家, 刘家二女河北、东北都是南山中学学生,在重庆市中学生美术比赛中双双获奖,刘何夫妇十分高兴,认定是我教学有方,延请我业余时间到家中为其女专授画技,常留我吃住。刘太太与冯玉祥夫人李德全系大学同学, 两家经常走动,故而我得与冯玉祥相识。

1941年2月,在林森、孔祥熙、马占山、于右任、冯玉祥、徐悲鸿等四十馀位各界著名人士的支持倡议下, 我率刘家二门生假重庆中苏文化协会会址举办捐献抗战义卖画展,于右任、冯玉祥等十馀人为展品题词赋诗。展期三天,观者云

集，展室常人满为患。虽作品标价颇高，仍很快被认购一空，且又有十馀人预订加购，足见斯时民众之抗战热情。其中有我一幅《白孔雀》图，冯玉祥题句“白孔雀真好看，义卖得钱助抗战”，一出展即被人高价认购。当时重庆五家报纸专门作了报道，《大公报》2月27日标题为“刘敦和刘河北刘东北师生画展”，文中多赞誉之词，文后并开列倡助人名单。我今仍存剪报。

1942年4月5日，住地附近国民政府邮政总局邀请冯玉祥做报告，冯讲完后离开会场，信步来到刘家，恰逢我正在教画，笔墨书案铺陈现成，有人提议请冯题字。冯慨然应允，我即捧过拙作《群虾图》。画案较低，冯先生身材高大魁梧，直立案前手持笔管上端，左手掩口重重“唔”了一声，略加思忖，遂即落笔挥写题画诗一首：“许多虾在水中，个个带了枪，好似发了怒，要对倭寇三岛打冲锋。”虽日距较远，握笔亦不得力，然隶体字迹个个端庄浑厚，排列匀称，颇见功力。落款行书“敦和先生冯玉祥题三一·四·五”(民国纪年)。因当时冯先生住处较远，未能上门补留印鉴。诗中“怒”字间隙稍挤，系初写作“奴”，在场众人不便言及，偏刘家七八岁小儿子嘴快，指叫“缺个心字”，冯又补描之。我当时的感受，冯将军不但器宇轩昂，正气凛然，且才思敏捷，笔成极快，确为一介英才。这幅画至今在我手中珍藏。

1988年5月，山东省文史研究馆承办中央

暨华东地区七省市文史研究馆书画联展，此画参展，恰巧冯玉祥次子、著名爱国人士冯洪志先生来济南，得知此事后欣然前往仔细观赏，并高兴地在画幅前留影。友人曾戏称，此题画诗无冯玉祥印鉴，是真迹否？笑谈此事，冯洪志肯定地说：“是家父手笔，假不了，假不了。”谈及冯玉祥题诗《白孔雀》图时，冯洪志先生也断言：“有的，当时我在家中见到过。”

“廖菩萨”之由来

方　正

抗日战争期间，廖容标战斗过的山东清河、淄博、泰山地区，农民群众对其有“廖菩萨”的美称，何以故，说来颇有一段佳话。

廖容标，江西赣县人，在中央苏区加入红军，曾任团长。1937 年 8 月奉派到山东组织抗日武装，与姚仲明联合长山县中学校长、爱国人士马耀南，发动了黑铁山武装起义，成立了山东人民抗日救国军第五军，后改为八路军山东纵队第三支队，廖任司令。他带领这支部队多次打击日本侵略者，振奋了群众的爱国精神。

1938 年春，廖容标带着五军一支队伍到胶济铁路南侧作战，四月间曾驻军罗村。罗村是淄川的一大镇店，当时群众不胜国民党游击队的

骚扰，又不了解八路军，所以部队初到时，镇民紧闭寨门，不让进驻。部队停在围墙外，向守寨村民耐心讲解八路军的性质、宗旨和纪律，村民终于半开了寨门。部队进村后，住在学校和庙宇之中，尊老爱幼，秋毫无犯，并且还帮助村民担水、扫街、干杂活，群众纷纷议论说："没见过这么好的队伍。"

当时国民党的游击队翟超部也在罗村附近活动。他们嫌罗村送去的煎饼"散口"(淄博的煎饼含水份高，适于热吃，冷了便不好吃，谓之散口)，给退了回来，退回时煎饼已开始发霉。为了减轻人民负担，廖司令决定不另向村里要给养，就吃这些发霉的煎饼。他率先带头用开水泡来吃，战士们也跟着吃起来。罗村村民看了大为感动，许多人议论说："这位廖司令真是菩萨心肠呵！"不久，"廖菩萨"的称号就传遍了淄博、清河、泰莱等地。

后来，廖司令率部重经此地，村民大开寨门热烈相迎，有的老太太还焚香祝祷八路军胜利歼敌。

这段佳话传到延安，毛泽东主席在接见派往山东的干部时曾勉励他们：到山东后也要像廖容标那样，爱护群众。

笔者曾在廖容标领导下工作，廖夫人汪瑜和廖任五军司令时的政委姚仲明也谈过此事。

桐城派的最后散文家贾恩绂

张昆河

贾恩绂，字佩卿，河北省盐山县人，前清举人，20世纪初至40年代居北京，为著名的旧体散文大家。

贾氏少年中秀才后，即入保定莲池书院从师吴汝纶(字挚甫，安徽桐城人，同治初年进士)学文章。吴氏为清季最后一位桐城派大师，曾主讲莲池书院二十馀年。当时直隶省的秀才、贡生、举人有志于文章者，以到莲池听吴先生的传授为最大幸事，有的父子、叔侄、兄弟同时或相继前往受业。光绪、宣统间，畿辅(国都附近)名士几乎都出于吴氏之门。所以,到清代末期,桐城派的薪火传留,不盛于南而盛于北。

吴氏的莲池弟子中,文名最著者,前期推武强贺涛、贺源兄弟(二人均成进士,入翰林院),后期则推贾氏。同学中多人,虽夺巍科、取高位者如刘春霖(末科状元)、尚秉和(进士、《周易》专家)、谷钟秀(曾任农商部总长)及吴氏之子吴闿生(北江)等,莫不尊贾氏为师门传衣钵的学长。

桐城派文章,要求以义法、义理为主,要有充实的内容,研求字句、神气、音节、声色,文句达到雅洁。贾氏之文,确是严守师法,其一生著述,以书、序、碑、传为最多,这正是桐城派擅长的体裁。

五四运动后,新思潮蓬勃发展,桐城派旧文体受到冲击,被摈除于高等学府(1900 年北京大学前身京师大学堂成立后,吴汝纶曾任总教习)。但北京的政、学界及社会上中层人物,均与旧传统有千丝万缕的联系,碑、铭、序、传之风犹盛。贾氏既负文名,从望所归,凡遇此类文章,仍多出自贾氏之手笔。

贾氏书室中,书架上有《谀墓拓存》十数巨册,均贾氏所撰墓铭、墓表的拓片汇集装订成册者,其中不少还是书法名家书写与镌刻的,另有文稿数巨册,足见其撰写之富。

贾氏并不是有求必应。民国某总统死后,其旧部属以重金润笔为贽,请贾氏写传,却被谢绝,理由是:“我的定例,凡曾柄国政者,必须是至少逝世20年后者方为动笔。”但宋哲元逝世后，其旧属与家属请贾氏为之写传，贾氏却欣然应允。此传写得谨严雅驯，对宋指挥喜峰口抗日战役及“七七”卢沟桥抗战，极为赞扬，但对宋奉命主持的冀察政务委员会则极具分寸，虽一字亦不轻置，见者叹称史笔。

贾氏不追逐于名利宦场，一生惟致力于文章，有粹然旧儒者风。有二孙年相若，上初中时，贾氏即在其课馀教之通读《资治通鉴》，亦可见其教子孙之方。贾氏总纂的《盐山县志》，为有名的地方志，惜为铅印本，纸张脆劣，不耐久藏(当时河北省各县志多是木版线装，纸亦较好。先祖鼎彝公总纂的《献县志》即是雕版印行，有连史纸、毛边纸两种本子。但所著另一部《绥乘》，即绥远志，亦是铅印)。河北省成立通志馆，贾氏曾任纂修，志、传多出其手笔。他的文章手稿及《谀墓拓存》如尚留存，当很有文物价值和文史资料价值。

康有为题诗

石家勤

康有为自日本归国，在青岛留居时，曾于民国十四年(1925)七月到青州，游览过当时山东四大名寺之一的法庆寺。

法庆寺初名大觉寺，俗称丛林院，故址位于

青州城西北约二里处,始建于清初。1646年,青州名藩衡王的府第被查抄,府中诸多故物移归大觉寺,大觉寺遂得以充实扩建。顺治十六年(1659),敕赐大觉寺为法庆禅寺。

扩建后的法庆寺规模宏伟,朱门碧瓦,雕梁画栋,木雕山塑,佛像很是壮观。方丈院里亦别有洞天,怪石嶙峋的迎门假山,堪称珍品的奇花异草,古雅清丽的名人字画,内中多有衡宫故物。当地官员士绅常来参禅拜佛,观光游览。康有为游览法庆寺,在寺内留诗一首:

绿瓦红墙松柏官,闻移衡府殿才工。
树根倚几庄严立,瓷画双皿色相同。
华屋山近何所在,王侯帝释尽皆空。
元戎小队郊相引,俯仰山河落日红。

梁启超慧眼识俊才

张容元

吴秋辉,清末临清人,久居济南。他天资聪颖,卓异不群,对六艺、诸子百家、天文、地理、理化之学,无不博览详究,有所建树。他的著述,从不走前人之路,从不袭古圣先贤之言,自称"己之说一出,中国二千年之学术乃根本动摇,直复无存在之馀地"。不论是他自己独创或是推翻古人成案的著作,都证据确实,义旨宏远。清华大学教授兼国学研究所所长梁启超先生偶读吴秋辉的《学文溯源》一书，深感吴有真才实学，远胜侪辈，称之为平生难得的天涯知己。随后二人曾几度传书，梁启超在复信中称吴“识力横绝一世，而所凭借之工具极笃实，二千年学术大革命事业，决能成就”，并愿出资承揽吴先生全部未发表的著述，以公之天下。1927年冬，梁又派两位青年研究员专程去济南，特邀吴前往清华大学任导师兼教授。当时，任导师者均为海内名家如王国维、陈寅恪、赵元任辈，梁启超将吴先生与这些国学泰斗并列，可见对他是极端看重的。不料吴先生忽患感冒，兼之咳嗽，积久渐剧，未能成行。然而，梁启超慧眼识俊才的故事却应为千古佳话。

胡也频离济与何思源

任　远

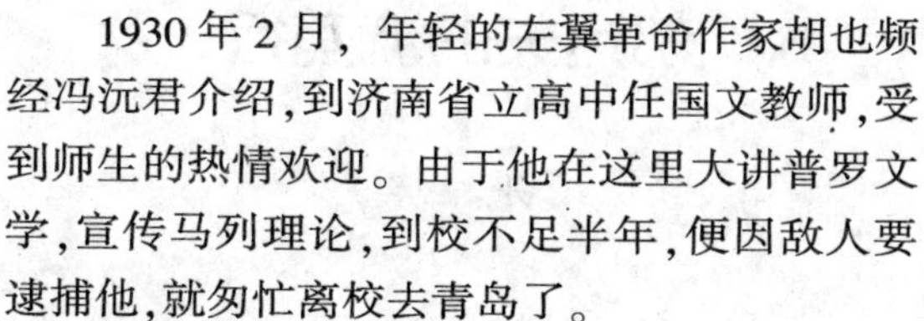

1930年2月，年轻的左翼革命作家胡也频经冯沅君介绍，到济南省立高中任国文教师，受到师生的热情欢迎。由于他在这里大讲普罗文学，宣传马列理论，到校不足半年，便因敌人要逮捕他，就匆忙离校去青岛了。

胡也频是怎样知道这一消息的呢？就连当时与他同车潜往青岛的济南高中学生会主席冯毅之(原名冯仙舟)，也只知该校胡也频、楚图南等老师因倾向革命，宣传爱国，早已引起反动当局注意；5月7日，在袁世凯签订卖国二十一条国耻十五周年纪念会上胡也频等的演说更为当局所不容；至于要进行逮捕的消息是怎样传出的，冯也不清楚。

事隔近五十载，原济南高中校长张默生从四川大学写给济南友人李士钊的信中讲了当时的详情，并得到何思源从北京来信证实。据称，当年韩复榘在一次会后，对省教育厅长兼国民党省党部宣传部长何思源说，高中有个叫胡也频的教员，中央要他，说他是共产党。何思源讲了些聘请好教员的难处等情况，随后便很快将消息告诉张默生，由张通知了胡也频。何思源为什么这样做，没有具体讲，大概怕逮捕胡也频会引起广大师生不满，对教育厅不利吧。

令人痛心的是，胡也频在济南虽一时脱险，翌年2月7日在上海却仍未逃脱国民党反动派的枪杀。

郁达夫的济南行

张稚庐

1931年2月“左联”五作家被害后，白色恐怖笼罩上海，郁达夫也受到当局警告。为摆脱困境，1933年暮春，他举家隐居杭州，想在旖旎的西子湖畔过一种所谓“闭门天许作闲人”的清静生活。

寓杭之翌年夏，遇到百年未有的酷暑，入7月后，气温几乎每天高达40℃左右，中暑而死者日有七八人。这时，在青岛市立中学任教的诗人汪静之、卢叔桓等去信邀他前往青岛避暑。他亦正想去凭吊“还没被人侵夺去之前”的北国，遂以成行。

郁于7月12日偕夫人和儿子由上海乘船抵青，住广西路三十八号楼上。8月12日晨，郁全家乘车离青去北平，当晚途经济南。时值雨后，道路泥泞，郁于月色朦胧中拜访了友人李守章夫妇。是晚宿平浦宾馆，臭虫蚊子极多，一夜未能安眠。

8月13日清晨郁与李氏夫妇游览趵突泉、黑虎泉，后又登千佛山。中午在院西大街(今泉城路西段)一家南方馆子用饭后，坐“洋车”(人力车)到大明湖，游了历下亭、张公祠、北极阁、铁公祠等处，看到了“佛山倒影”，品尝了蒲菜、莲蓬；他认为黑虎泉一带的风景最为“潇洒”。

当天下午五点郁达夫便和妻儿乘车离济北上。这是他浪迹生涯中的最后一次北行。

闻一多畅谈《读〈易〉》

田仲济

《读〈易〉》为王统照取材于他童年时在家塾读《易》的素材而写成的一个短篇，他自己比较满意，但评论界很少有人提及。20世纪30年代初，闻一多任青岛山东大学教授，在名著选读课上他手中拿着王统照的短篇小说集《号声》，对其中的《读〈易〉》作了评论。

论王统照的小说，不论是现代文学史著作或某些论文，多半喜欢评述《雪后》、《沉思》、《微笑》，并以这几篇来代表他的创作思想。实际上，这仅是作者初期的几篇作品，反映的也只是他初期的、持续时间不长的创作思想。此后，作者题材广多了，技巧也成熟多了。仅就《读〈易〉》说，虽然写的只是一段童年故事，可思路已开阔多了。

《读〈易〉》写于1927年10月5日的青岛，内容是写十八年以前即1909年，在故乡诸城相州家塾，大姐陪他读灯书，以及读毕回后宅吃夜点等故事，其中有天伦之乐，慈母的爱，童年的回忆。《读〈易〉》编入《号声》短篇小说集内，1928年12月上海复旦书店出版。

闻一多认为作者极其诚挚地抒发了他的感情——母子之情，这是一篇深入人生，富于艺术性，风格颇为清远的佳构。

老舍课堂上的幽默

柳即吾

20世纪30年代初，我是山东大学的学生，读外文系，也喜欢听中文系的课，曾选修老舍先生的“文艺批评”。

老舍是幽默大师，可他的相貌、衣着、声调、举止以及态度，一点也不幽默。他戴一副黑边近视眼镜，老是板着面孔，不苟言笑。上课铃一响他就进教室，照例点名。板书也很规矩整齐。

他讲到文艺作品要写人物的典型性格时，说：“要把人物性格描绘得一看就像谁，至少也得像他二哥。”同学们笑了。他冷着脸又说：“写典型嘛，就要多加材料。假若你要写一个爱穿马褂的，你无妨写他穿着两个马褂，三个马褂，四个马褂。”大家又笑了。可他仍是板着脸，等大家笑完再继续讲。他最忌讳说笑话的自己也笑。

他对于发表作品非常认真，说：“写完一份稿子要多留几天，多看几遍，多改几遍，要慢发表，勤撕了，准备个字纸篓子。”

快六十年了，老舍先生的瘦高个，戴着黑边近视眼镜的长脸庞，以及他严肃的态度和声音，仍然常常映现在我的面前。

老舍在济南的旧居

李耀曦

1930年夏至1934年秋初，老舍在济南生活、教书、写作，度过了一生中一段难忘的平静美好的时光。老舍称济南是自己的第二故乡，研究者说这是他文学创作上一个黄金时期。时隔半个多世纪，老舍当年住过的几处旧居至今犹存。作为历史的遗迹，今略记之。

马喀考米卡楼

这是一座青灰色的三层小洋楼，在现今山东医科大学校园之内。它是当年齐鲁大学文理学院的办公楼，洋名：马喀考米卡楼。1930年老舍应齐大校长兼文理学院院长林济青的邀请前来任教之初，就住在这里。当时，二层楼梯右侧是院长、校务主任办公室，左侧为教员单身宿舍。老舍住在西头南边的第一间，实为全楼的西南角。从这里推窗南望，可以远眺庙宇点点的千佛山；楼下，槐榆夹道，碧草如茵，十分幽静。就是在这间屋子里，老舍在教课与兼编《齐大月刊》之馀，写出了以济南“五三”惨案为背景的长篇小说《大明湖》。可惜小说未曾面世便焚于上海“一二八”战火。与老舍对门而居的张西山先生是这部小说原稿的第一位读者。那时两人都很年轻，又都是贫寒出身，很谈得来，常在一起散步聊天儿，有时还就着花生米干几杯。

南新街五十四号小院

一个红砖黑门很不起眼的小院，委身于窄街旧巷之中。如今当年的茅屋已改作瓦房，院内的二门早已拆除，门牌也由五十四号变为五十八号，其馀竟无多大变化。

1931 年暑假，老舍回北平与胡絜青女士结婚。婚后携夫人回济，在校外南新街赁屋而居，就是这个院子。小院大门坐东朝西，二门内西、北、东三面有房。北面三间半上房由老舍与夫人居住。房内一分为二，东边是卧室，西边一间半是老舍会客和写作的地方。老舍的长篇小说《猫城记》、《离婚》、《牛天赐传》，《赶集》中的绝大部分短篇小说以及发表在《论语》等刊物上的幽默诗文，皆写成于这间屋子。

当年，小院种满了花草，还有一株紫丁香和一大缸荷花。天井里有一眼水井，一早一晚，老舍自己打水浇花，施肥捉虫，花儿开得颇旺盛，吸引了不少朋友前来观赏。

老舍夫妇在这个小院里住了三年，生下女儿舒济。老舍曾在一张全家福的照片上题诗一首，记下当年的生活情景："爸笑妈随女扯书，一家三口乐安居。济南山水充名士，篮里猫球盆里鱼。"

近几年常有人光顾这里。胡絜青与舒济以及日本、法国的老舍研究者们都曾来过。不过，据现主人云，小院即将被拆除，因为附近某机关要在这里建锅炉房，通知已下过好几次。

长柏路二号教授楼

现今山医大校园内南边，绿树掩映之中有一幢红柱灰砖方形尖顶的小洋楼，这就是长柏路二号，当年齐鲁大学的外籍教授楼。

1937年8月，老舍由青岛重返齐大，先住校内“老东村”平房，不久迁入此楼。这是一幢结构颇为别致的“姊妹楼”：楼当中并列着两个楼门和平行上升的两个楼梯，把小楼分为东西各半。老舍一家住东半楼，楼下两大开间作为客厅和书房，楼上是卧室。楼前楼后花木扶疏，环境幽雅。站在卧室窗前，可于晴空下远眺千佛山和马鞍山的秀色。但此时老舍已无心观赏山景，因为日寇进逼，济南危在旦夕，虽说学校已经开学，实际上已无法上课，每天都有教师和学生来向老舍辞行，有的往南边走，有的回家乡去。老舍在小楼里整日忧心如焚，坐卧不宁，虽然编讲义和写作尚未止笔，但最关心的却是看报纸和听广播。不久他便只身奔赴大后方参加抗战，再也没有回过济南。

老舍走后，胡絜青和三个幼小的孩子于1938年返回北平，但老舍留在楼上的全部书籍、讲义、手稿等，均于日军进占齐大后散失。

毁于兵燹的《大明湖》

张稚庐

从1930年7月迄1934年初秋，老舍在济南执教于齐鲁大学。虽仅四载，却时短情长，用他的话说："济南成了我的第二故乡。"在这里，他写了《大明湖》、《猫城记》、《离婚》、《牛天赐传》等长篇小说。可惜《大明湖》未能问世。

老舍来济南时，离震惊中外的"五三"惨案才二年。他每次进城，都看到西门一带尽是断垣残壁，弹痕累累。"那被敌人击破的城楼还挂着'勿忘国耻'的破布条，在那儿含羞的立着"(老舍：《吊济南》)。他又听到朋友们谈起日本侵略军如何重炮攻城，毁坏黄河大桥，肆意屠杀我军民，洗劫商店，强奸妇女，害得多少人家破人亡，妻离子散。他搜集有关的素材，写了一部以"五三"惨案为背景的小说《大明湖》。为使故事波澜起伏，跌宕有致，他不直接描写"五三"的惨重灾难，而是使故事迂回曲折地发展，读后令人掩卷难忘。

这部小说的梗概是：有贫苦的母女二人，母亲被悲惨生活逼迫，跳了大明湖，女儿孑然一身，饱经忧患，也萌生短见，跳湖自沉，幸被人救起。不久结婚成家，无奈好景不长，遇上"五三"

惨案，家败人亡。小说脱稿后寄上海商务印书馆，由该馆出版的《小说月报》第二十三卷第一期发表。不料这期《小说月报》印好后尚未送发行所，就遭到“一二八”日军炮火的摧毁，《大明湖》亦随之被焚。

老舍写作一向不留底稿，《大明湖》焚后，有的朋友劝他重写，老舍认为创作的乐趣不能在重写中找到，再说，这时国民党政府怕“开罪友邦”，规定“日本”二字用“——”代替。这样，老舍的创作意图已无法表达。据著名文史掌故作家郑逸梅老先生讲，这期《小说月报》的样书有人见过，可经老舍之女舒济多方查找，迄无所获，恐怕已湮灭不存了。

老舍诗赠关友声

孔亚兵

老舍自 1930 至 1934 年在齐鲁大学任教四年，结识了不少文人墨客，与名画家关友声交谊尤为深厚。当时老舍是齐大文学院副教授，关友声在该校国学研究所从事文物考古工作。关家住饮虎池前街辰光阁北“道村”，老舍住南新街，两宅相距近在咫尺，于是老舍便成了关家的常客。

老舍本人不会作画，却爱看别人作画，爱与

画家交往，爱收藏画品，还是个高水平的鉴赏家。他很欣赏关友声的山水，收藏了不少关氏画作。《关友声画集》出版，老舍为之作序，称赞他“绘出对大自然的趣味与设想”。1933 年秋，老舍题诗一首赠关友声云：

覃思画境秀如秋，敛尽锋芒绘浅愁。
墨未到时神远瞩，笔留余意树微羞。
山从心里生云气，露在毫端滴石头。
俱是空灵诗韵味，天边语响落轻舟。

在边跋上，老舍写道：“覃思斋主(即关友声)今夏作画甚勤，山水长幅精绝。谨作小诗用申欣赏之诚。旧诗久荒习诵，韵涩音哑资一笑耳。”

这是老舍为数不多的专论绘画艺术的诗作中的一首，从未发表。“文革”中几经周折，幸免抄灭，今仍存友人处。萧涤非与老舍、友声二公均为好友，详知此事，这段史实是他亲口告诉我的。

徐志摩遇难地——开山

任　远

1931 年 11 月 19 日，诗人徐志摩不幸空难逝世，殉难地就是济南市区西南的长清县开山村。

开山以东南、西北的走向，蜿蜒于并行的津

浦铁路与济微公路两侧。主峰雄踞路之东南,开山村人称东大山;北峰耸立路西北,称为西大山。飞机出事那天早晨八时,徐志摩同正副驾驶员共三人,乘运送邮件的济南号飞机从南京起飞。到徐州时天气尚好,再向北天气渐阴,至济南附近遇大雾,山雨欲来。飞机低飞至开山,为躲避开山主峰,一头栽到了西北部山头上,机上当即起火。在那一瞬间,一声巨响,几缕浓烟,才情横溢的诗人便魂断开山。两位驾驶员被烧毁;徐志摩坐在后面,烧得较轻,但额角撞出了致命的伤口。

开山海拔 295.6 米,原是座很不出名的山。徐志摩在此殉难后,天下起小雨,遗体暂移附近的铁路桥洞中。22 日清早,当著名作家和学者沈从文、梁思成等赶来时,徐的遗体已装殓好,停在济南市内的福缘庵。受托到开山收殓的一位姓陈的银行职员对当地情形不熟悉,将党家庄火车站西南十多里处的开山,与党家庄车站东北十多里处、大量开采石料的白马山相混,误为一山两名。这一错误被一传再传,延续半个多世纪。

吴伯箫抗婚

孔亚兵

散文家吴伯箫因受五四思潮影响，青年时期即具有很强的反抗封建礼教的意识，在婚姻问题上，是一个父母之命、媒妁之言的叛逆者。

1925年夏，本在曲阜担任第七十七代衍圣公孔德成英文教师的吴伯箫，经同乡王子英支持和帮助考入北京师范大学就读。不久，他被父母召回莱芜老家结婚。这门亲事完全是由父母包办的，新娘刘氏(建国后取名刘树德)系本县片镇村人，其父与吴伯箫的父亲吴式圣是同学好友。当时年仅十九岁的吴伯箫根本不同意这门亲事，曾以非常气愤的口吻申辩："这种婚姻没有任何感情可言，就像走在路上碰上一个人，不说话就结婚，能行吗？"父母劝他、强迫他，他始终坚持自己的一定之规，死不同意。在洞房花烛之夜，他先是对女方讲道理，继而争吵，两人始终没有同床。婚后第三天，他便忿忿地辞别家人，返回北京。

1931年夏，吴由北京师范大学毕业后，曾专程回家办理离婚事宜。为了取得社会舆论的支持，他还特意在离家不远的莱芜县城东关大集上张贴了一张油印小报，宣传封建伦理道德的

危害和父母包办婚姻不好的道理，以示自己提出离婚的正当理由。此后，他被推荐到青岛山东大学校长办公室任事务员，此间结识了青岛女子中学高中学生郭静君，并与之相爱。1937 年与郭结婚。

不过，吴与刘氏离婚后，刘并未离开吴家改嫁他人，而是一直在吴家料理家务、照顾吴伯箫的父母，直到吴的父母亡故。吴伯箫与郭静君结婚后，仍不断给家里寄钱，以贴补他们的生活。

鲁迅关怀青年的一件事

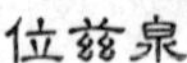

我的同学宫明山对我说，1935 年鲁迅先生曾为了给他找职业写过一封信。

1934 年底，宫明山在莱阳乡师毕业后当了一段时间的小学教师，感觉很无聊，想另找职业。次年暑期，宫在烟台中学见到他上莱阳乡师时的国文教师王冶秋，便对王吐露了这种心情。王对他很同情，希望他能发挥所学生物学知识的特长，表示将写信请鲁迅转托周建人在上海商务印书馆给他找个制作生物标本的职业。

过了不到两个月，宫明山接到王冶秋一封信，信内附有鲁迅给王的回信。鲁迅的信上说："……那位研究生物学的学生的事情，问是问过了，此地无法可想。商务印书馆也卖标本，但它是贩来的。有人承办，忽而要一只鸡，忽而要一只猫头鹰，很难，而没有钱赚，此人正在叫苦连天。”宫明山说事虽未办成，他对鲁迅却很感激。

鲁迅先生工作那样繁忙，政治环境又非常险恶，他还关怀到一个普普通通的农家子弟，这是多么伟大的人格！

何其芳的三件小事

位兹泉

何其芳先生1935年北京大学毕业后，8月应聘到山东省立莱阳乡师当了语文教师，直到1937年抗战爆发才离去。我虽然未直接受过他的教导，却了解他一些事迹，现将记忆中的三件小事略记之：

“小锤打地”

何其芳初到莱阳乡师时年仅二十三岁，中等个，穿一身月白色的大褂，留着平头，戴一副金丝眼镜，脚上经常穿硬底皮鞋。走起路来步子很快，鞋后跟踩得砖甬路嗒嗒响。每当他上课或者辅导自习的时候，在我们班的教室里都能听到他的脚步声，同学们把这声音比作“小锤打地”。它象征着何其芳的性格：积极向前，爽朗直率，也表现着他坚定不移的意志。五十多年过去了，何老师也已仙逝，但他催人奋进的脚步声却一直清楚地留在我的记忆里。

赠　书

1936年初夏的一天，下了上午第一节课，莱阳乡师四级一班教室前，同学们三三两两地在交谈什么，有些人还翻弄着一本新书。我走过去一看，原来是何老师赠给同学们的他新出版的诗集《小燕泥集》。赠书之后，他还向同学们介绍了写作的经过，并讲解了新诗的知识和写诗的技巧，令同学们大获教益。有位同学深有感慨地说："何老师关心学生，联系实际，他真是我们学习的楷模啊！"

接近贫苦农民

莱阳乡师校园的东南角，有一座宽大的石桥，此处是莱阳八景之一，名叫"石桥断霜"。平时常有一些在外打短工的农民来桥洞过夜，第二天拂晓再赶早到集市上出卖劳力，因为来往的人多，桥上的霜都给踏光了。何老师得知后，常在晚上到桥洞里和那些农民交谈，询问他们的生活和劳动情况，帮助他们提高觉悟。这段经历也写进了他的诗里，《小燕泥集》中的诗句"……在一天夜里，星星和月亮随我走到一座据说是从来不下霜的石头桥上，我忽然发现桥下睡着穷困的农民，……我爱勤劳的、贫困的农民"，就是写的这一事情。

郭老爱他的《屈原》

田仲济

郭沫若氏的话剧《屈原》写于抗日战争时期，当年在重庆演出曾轰动一时。郭老以古讽今，冲破文禁，矛头指向当权者。作者以屈原自况，而婵娟也寄寓着作者的情感，对此作者、论者多有言及。当时演出，张瑞芳饰婵娟，金山饰屈原，都是最受欢迎的演员。在每次演出中，屈原抒发愤懑的“我要爆炸”一段独白时，全场都掌声雷鸣。盖此诗虽难说有什么诗意，可直接迸发了亿万人民的愤怒，作者极为得意。那次演出时，一度曾因细故产生停演危机，郭老闻知后，亲至剧团，入门即双膝跪地要求排除一切困难，继续演出。盖他以为演出即是战斗，是万万停不得的。

郭沫若赞闻一多释“鸿”

田仲济

闻一多氏释鸿，曾载《闻一多全集》。鸿，一般释为大鸟。《诗经·邶风·新台》：“鱼网之设，鸿则离之。”闻氏释鸿为蟾蜍，即蛤蟆。

闻氏以为诗的意思似乎是“以鱼喻美，以鸿喻丑”，“言所得非所求也”。实际上，鸿字从来未见到有丑的意思。而且鸿并不栖在水中，只有时飞落水边，捕鸿也从未听说使用渔网的。他查阅了许多书籍，终于找出鸿可释为蟾的根据，于是诗的意思完全可讲通了。郭沫若对他的解释完全赞同，称他解释得“妙极了！”

记得抗日战争胜利后，有位朋友从昆明经上海到解放区去，他要看望郭老，找我陪他前去。见到郭老后，他谈起李公朴、闻一多在民主运动中的积极活动以及牺牲的情况。当话题转到闻一多教课很受西南联大学生欢迎时，郭老就鸿的解释说，闻先生这种讲法将文章讲活了，学生不会不喜欢听。他边讲边用两手在自己的腹前比着说，把鸿说成是蛤蟆，不但是丑，而且有个大肚子。那诗的作者是女性，她以鱼和鸿作比喻，本希望得一个少年郎，可想不到是一只大肚子丑八怪。“真是讲得妙极了！妙极了！”末后又加重语气说：“这是一大创造！了不得的创造！不负他翻了许多书，是一大发现！”

王统照为《抗战外史》作序

孙柏森

刘圣道，字贯一，是现潍坊市坊子区坊子镇小刘家庄村人，1907年生。他十七岁毕业于坊子南洋兄弟烟草公司私立高级小学。从分销报纸开始，曾担任报社通讯员、记者。后在济南创办《工商通讯社》，自任社长。

1946年，刘贯一据自己的抗战见闻著成《抗战外史》一书，由当时山东省主席何思源题写书名，著名作家、山东大学教授王统照先生亲为作序。

今照录王统照先生的序文如下：

抗战以来，多少青年，流离奔走，出死入生。或以体力，或凭口舌，或藉笔锋，激扬热血，共御强敌。八年经历，可泣可歌，几乎每人俱有慷慨苦痛的个人之“史诗”。况以吾国区域之辽阔，山川关河之重阻，风俗言语之殊异，舟车交通之艰困。果有若干忠实记述，将各地抗战经过，军、民、官、商之各种动态，与地方风尚的比较异同，无问长短，不拘体制，分别写出，以供众读。则不惟足以兴顽立懦，发扬宝爱民族国家之忠诚！即以地理的、人文的、社会状况的眼光观之，亦具优长之点，而非闭门想象者所能及。其文笔简练，修辞完美者无论已，即以通俗笔调，娓娓而谈，内容既丰，事实动人，自有可以刊印之价值。

刘君贯一，从事新闻业多年，大战爆发后，流转于鲁豫陕川八年。于兹，今将其躬历之战时生活分条记出，又附以日军投降前各联合国之会议宣言，原子弹之威力详说，山东概况等，拟印单本，求序于余，余略读一过，沉思者再！试念在此长久期间，无论忠勇战士，朴诚农工，与各界人士，前方后部，直接间接，涂膏血殉生命者几何人？乡邑破碎，山河变色，文物，物资，受损毁、被掠盗者几何数？此何为者？所为澄清中原，共御外侮，四千年之古国，不甘受强邻蹴缚，永为奴隶而已！今幸抗战告终，“鲁难”方已，剥极得复，旧邦新造，凡有血气之中国人，自须深自惕警；知非合群不足以救国，非共济不足以拯溺，同是备受苦痛，历经险难之兄弟、姊妹，必应“孟晋”前途，互助兴邦，即为一般素好和平，辛勤求生之国民计，尤应同发宏愿，使能各安生业，启其知识，生聚，教训，富庶可期，则光华复旦，永脱尘昏，千载良机，宁忍再失？

至于作者所叙，既属事实，其中优点毋俟赘述，所望今后多有此种史纪广布流传，既能保存抗战史料，抑可对地理人文多得

稽证，将来汇为巨集，永著辉光，儆往古而警来兹，知国于天地，固有“兴立”者在也。

火烧赵家楼记实

李　弢

先舅翁张方来，字绂荪，为张振老(英麟)之长孙，1896 年出生于北京，1919 年毕业于北京高等师范学堂生化部，曾亲身经历五四运动。1983 年初夏某日，谒公于济南西公界张氏新居，时舅翁已八十六岁高龄，仍为我津津乐道当年旧事。恭录如次。

舅翁说：五四以前，高师、北大等校均有激进派学生，我同年级湖南籍的匡互生即是。五四兴起时我已通过毕业考，尚未离校。是日依学生团布置，早饭后集合出发，八时许列队。我是老学生，又是标准的山东大汉，所以北高师的校旗由我来扛。旗高约二三米，白布上竖写“北京高等师范学堂”八个大字，用一根鸭蛋粗的竹竿揭起，上下各用一根短竹竿撑开。学生团决定各校同学在天安门汇集，高师先到，北大出发时被军警阻挠，经过一番斗争才冲出沙滩，所以到得最晚。那天去天安门的有北大、高师、朝阳、中大、工专、农专、医专、法政等八校，示威群众多手执小旗，上书“收回青岛”、“废除二十一条”、“惩办卖国贼”等标语。集合时，每到一队，先来者均降低校旗，表示致敬；列队的学生鼓掌欢迎，后来者则挥舞小旗回报。

各校集合后，学生团总指挥、北大聊城籍学生傅斯年布置队伍去公府请愿。到公府门前，大总统徐世昌不予接见，请愿不得要领。经学生团磋商，再去东交民巷使馆区，吁请各国驻华公使团主持公理，支持我收回山东等利权。但使馆区形同外国领土，军警林立，荷枪实弹，不许请愿队伍入内。学生满腹愤慨，忍无可忍，不约而同地大呼“找卖国贼曹、章、陆算账！”当时大队正在东长安街，于是过东单牌楼，向北进抵石大人胡同，胡同内有一条小街就是赵家楼，有学生知道曹的住址，愿为前导。少顷抵赵家楼路西曹宅，但曹宅大门紧闭，我就把扛来的校旗倚在门旁。这时打门声、口号声、怒吼声响成一片，斜刺里走来一学生，拿起校旗用竿头打下大门楼的檐瓦。又过来几个学生，拾起瓦片扔进院内。三

个学生手攀旗竿，依次翻墙入内，打开大门。门外大队蜂拥而入，我也随着人群挤进曹宅，闯入客厅。某生随手拿起陈设的大花瓶向穿衣镜扔去，镜片粉碎，花瓶落地，摔成几块……。学生找不到曹汝霖，据说曹在公府。是日章宗祥身着西装，正在曹宅和日本人谈话，一看势头不利，就一面讲日语，一面匆匆走出客厅。学生误认他是日本人，所以未加拦阻。他出门后被某生指认，学生喊打，章躲进一家小杂货店，被拉出痛打一顿。回校后，山西籍学生张×祈说："狗有七条命，章受六处伤，仍然逃了狗命。"不知张有何根据。

另，高师国文部山东籍学生张某，自靠街扁窗钻入曹宅，闯进花园，遇到曹的姨太太苏佩秋，便打了苏一个响亮的耳光。当时我在场，曾对张说：她是妇人，打她似乎不必。张怒冲冲地对我说：姨太太更不是好东西！

有的学生找不到曹汝霖，怒气不消，走进厨房，用报纸蘸上煤油放起火来。起火后，学生纷纷散去。出门时我对匡互生说："放火不是办法，恐怕烧着邻居。"匡盛怒之下答道："谁叫他给卖国贼做邻居！"

起火后，军警赶到。先行诸生均已散去，迟到者反被捕去四十五人（据以后文献称是三十人）。高师同学陈忠祝即晚到者，被一警察从后面拦腰抱住，陈用力向后一蹲，警察猛不防被顶了一个跟斗，陈趁机走脱。这是陈回校后亲口给我讲的。午后3时许，我和早归的同学才吃上午饭。

1986年秋，我曾以舅翁的回忆求证于我的同事、舅翁的同学刘少卿老先生。刘老称：汝舅1919年高师毕业时，我刚刚入学一年，他当然比我知道的多，他的回忆当属可信。刘老又为我补述道：

"五四"后，高师上街的宣传队曾打出一副挽联，上联"卖国求荣，早知曹瞒遗种，碑无字"，下联"倾心媚外，不期章惇馀孽，死有头"，上款书"卖国贼曹汝霖、章宗祥遗臭千古"，下款书"北京学界同挽"。

据刘老回忆，这是高师史地部熊孟飞亲撰的。

汶上县红枪会十万农民大暴动

何树瀛

民国初年，军阀割据，战乱频仍，汶上西部湖区及东部山区匪患尤甚。1921年，汶嘉(祥)边境、运河两岸农民率先成立红枪会，以防匪保家。首领称"宫长"，设有县区社村级，会众白天生产，夜间放哨。一村有事，燃鞭为号，各村闻号驰援，每每聚以万众。匪畏众势，敛迹潜走，社会得以稍安。到1925年秋，全县村村安宫，男丁人人入会,会众近十万人。公推郭廷俭、秦大文、吴立信为全县红枪会总宫长,并与嘉祥、兖州、宁阳、肥城、东平、泰安、平阴、齐河、聊城、高唐、郓城、曹州及河北大名等13个州县红枪会建立战时联合关系。

1925年张宗昌督鲁,税多赋重,驻汶张军许琨部某团及县区官吏借机层层盘剥。时值农业大歉,民生艰难。是年终,在南方农民革命运动鼓舞下,郭廷俭、秦大文等首倡抗捐,拒交新增捐税,迫张宗昌撤掉县知事张广铭。翌年3月,红枪会夺取九个区保卫团全部武器,并做攻打县城准备,以进而逼迫张宗昌接受免除苛捐杂税、军队不扰民、清算县区账目、改选区长等条件。3月23日派出精干会员密藏武器入城,次日晨一声炮响,城门洞开,伏兵涌入城内,将警备队、警察所缴械,捣毁县公署。城乡人民奔走相告,扬眉吐气。之后,红枪会击溃了许琨部刘嘉瑞团,智取宁阳县城,进而谋取兖州、济宁。为阻泰安、济南来敌,红枪会攻占曲阜姚村火车站,扒毁铁道,致使津浦铁路全线中断。李大钊在《鲁豫陕等省的红枪会》一文中提道:“山东汶上、宁阳的红枪会据城七日,所住的地方都是庙宇学校公共机关,所吃的东西都是自己携带的大饼馒头,丝毫不扰及人民。”

这次暴动最终被张宗昌派重兵镇压下去了。郭廷俭4月中旬在王村与官军激战中捐躯,临终犹大呼杀敌。秦大文率馀众转至巨野县,不屈被杀。吴立信被俘于嘉祥县,解汶殉难。4月18日(农历三月三日),汶上六七万农民因官军烧杀而无家可归,扶老携幼逃往嘉祥、东平。至今汶上民间仍有“三月三逃反”一说流传。暴动虽然失败，但它燃起的反抗军阀张宗昌的斗争怒火继续在山东蔓延，从而加速了其反动政权的覆灭。

青岛康有为墓

张稚庐

1917年康有为首游青岛，即被这海滨之城的秀丽风光所吸引。翌年买屋鱼山角下,从此年年都来小住数月。其咏青岛诗云:“海气苍苍岛屿回,山巅楼阁抗崔嵬。茂林峻岭百驰道,重入仙山画里来。”山海形胜,尽现笔底。后有终老于斯之念,遂在崂山支脉象耳山卜墓地一块,并营生圹。1927年初康在沪度过七旬寿辰后,乘船返青,2月26日去中山路一粤菜馆英记酒楼赴宴,未终席即感腹痛，匆匆归寓,28日凌晨溘然长逝。

康墓前立一石碑,前题“南海康先生之墓”,后题墓志铭,均为吕振文撰并书。康有为以维新变法骤博高名，而变法乃以德帝侵占胶州湾为导引,四十年后康埋骨胶州湾,或谓“宿缘”也。

康墓于十年浩劫伊始被毁，骨殖幸由博物馆保存，未致扬弃。1984年重建康墓，因原墓址已筑为公路，乃迁葬于浮山西麓茅岭之阳。新竖大理石墓碑重达两吨，碑文由其弟子刘海粟所书。墓地环以花岗石短垣，静穆素雅，宜也。墓园内绿草如茵，松涛飒飒，远眺则层峦叠翠，海天茫茫。“康圣人”永安窀穸矣！

诱捕刘黑七秘闻

严承飞

民国二十年冬，山东巨匪刘黑七(桂堂)部受韩复榘招安，编为“山东警备军”，次年正月调驻高唐，途经泰安。韩复榘密令泰安县长周百锽诱其进城，相机捕杀，并以驻军滕团协歼匪徒。周、滕奉命后，秘为准备：滕团两个营设伏于火车站至五马庄一线，另一个营在大汶口策应；城内由县大队警备，西门南门俱伏杀手，请刘赴宴之同合春饭庄亦由县大队杀手化装充服务员。月之初五，刘黑七率部由鲁南至大汶口，周百锽即派员前往“慰问迎接”。刘部抵城郊后，驻于铁路以南之旧镇、王庄等村。周百锽当即率刘竹斋(县财政局长，充周助手)、严健亭、焦中胜(县大队中队长、排长，化装为周之护兵并负责捕杀刘匪)携礼品前往相“请”。先至旧镇，又至王庄，始见刘。周百锽一再表示“热诚欢迎刘司令”，请其入城赴宴、休息，刘则一再婉言谢绝，貌甚谦恭，不似匪类。结果诱捕未成。当夜刘即转移堰堤等村，距城愈远。次日经石灰窑沟北上，突遭陈学增所率道朗镇各村联庄会员堵截，刘黑七下马作揖善言借路而去。事后，周百锽向韩复榘陈述经过，并自求处分，韩云：“这次捕不成也好，以后再说。刘黑七诡计多端，替身很多，说不定抓住个假的，反而打不了皮狐惹一腚臊！”

此事为1983年夏我与张学周因编纂《泰安市志》而向刘竹斋(时任济南市工商联副主任)访核史料时承其面告。刘云：“此亦险事一桩。严、焦武夫，习惯刀枪生活，固无所虑。我与周百锽俱系文人，深入虎穴，尤恐遭其暗算。事后思之，犹有馀悸。”

鲁佛民潜居北平

秦在简

鲁佛民，济南人，1914年毕业于山东政法专门学校，执业律师，兼办《山东公言报》、《大民主报》、《平民日报》、《山东法报》。早年曾协助王尽美、邓恩铭开展中共建党活动。1925年主办王尽美丧葬。同年加入中国共产党。1927年国共分裂，其长子、时任中共山东省委书记的伯峻被捕牺牲于济南，鲁被通缉，旋次子余修在青岛亦被通缉，鲁佛民一家三口先后潜往北平。

1931年春我赴平求学，他住在阜成门里一所贫民大杂院内，老人嘱我出面赁房子，我物色到禄福巷的独门院后，搬住在一起。由我每日上街买食品杂物，他去教家馆，不与外人来往。1932年鲁佛民在志成中学，翌年转艺文中学任国文教师。1934年他指导艺文中学学生参加反帝大同盟被校方无理解聘，潜去天津教家馆。半年后又潜回志成中学任教。这时余修考入中国大学读书。我到保定农学院时，正值保定二师学生数十人被惨杀，铁路工会亦遭破坏之后，我组成山东同乡会和班代表会，地下工作者才来联系。我还曾去北平找北大和中大的学联要宣传品，进行宣传，并组织平津保学联，决不暴露当地关系，凡此都来自鲁佛民先生的教导。他说："党就在你身后，党就在群众中。"1935年爆发了"一二·九"和"一二·一六"学生救亡运动，我赶到禄福巷与余修分析学运，鲁佛民纠正我们的轻率观点，认为敌人已是死心与人民为敌，不可轻视。这时鲁家常有来客，我先后遇到过吴承仕、齐燕铭、黄松龄、孙席珍、张郁光、李长之、季羡林、薛培元、杨丙辰等左派或中间派的学者名流或同乡；住过他家的有张虎文和孙国梁等。那时北平暗探密布，一言之失，即遭暗杀或失踪。名流学者秘密领导学运者有之，闭门不出甚至自品苦茶者也不乏人。独鲁佛民指导学生运动，

孜孜不懈。1936年春大批学运领袖遭逮捕，余修亦在其中，鲁佛民会同学者名流群力营救。我最后一次去禄福巷，鲁先生问我情况，我说明有教授及邮政工会给我通气，暂时还能保持埋头读书的爱国学生身份。当时宋哲元部队组织学生军训，他指示我：参加军训，送东北籍流亡学生参加抗日部队。当我告别时，鲁佛民破例送我到辟才胡同，说他要随张苏的安排离平。我问要去哪里，他说还不知道。不久，“七七”事变爆发，未再见老人，原来他已到延安去了。

铁血之花

马节松

“七七”事变后，山东省主席韩复榘率部南退，济南很快沦陷。亲日分子纷纷出面组织伪政权，认贼作父。马良、唐仰杜、朱桂山、郝书萱、程逸庵之流，皆出任伪职，气焰嚣张。一部分爱国学生自发组织“山东抗日铁血除奸救国团”，打击汉奸走狗，市民称快。

铁血团负责人毕复生、李景禹、梁鸣一、潘鸣玉、赵静之等首先威迫程逸庵辞去鲁北道尹伪职，并令其交出救国捐五千元。旋又抢到伪直接税局现金一万馀元，送交抗日十区专署作抗战经费。时十区专员梁建章极为进步，与中共领

导的三支队合作得很好。我由抗大来三支队后，受霍士廉政委及姚仲明、马耀南之命，至十区以专署名义开展统战工作，扩充抗日力量，成立特务营，由我任营长。因毕、李等人均在十区任参谋，故知其详。

毕复生上正谊中学时，郝书萱任该校教员，毕与其有师生关系。日寇入济南后，郝书萱频频出入特务机关，为日人所赏识，委以教育厅长要职。一般青年学生对之极为愤恨，故毕复生、李景禹、王一虎等计划刺杀之，以儆效尤。某日，毕复生领李景禹，提着点心，以谋事为名登门拜访。郝当时住东关后坡街，毕、李二人在门外布置接应人员后，进宅内客厅等候。不多时，郝书萱来到。毕站起说，李景禹想求老师在教育厅给找个工作。郝说我要去上班，以后再为他设法。毕复生把带去的点心拿到桌上，说是李的一点心意。说话间顺手拔出匕首，趁郝站起要走时由背后刺入。郝大惊急呼。毕、李跑出门外，分头逃走，郝的三名卫士随即追出。王一虎和另一人为掩护毕、李，在后面向卫士开枪。卫士见王有枪，便转身追王。王仅有小手枪一支，见卫士追来，二人即向南华美医院逃去。至后墙，拟越墙入院，不幸在爬墙时王一虎腿部中弹被捕。在宪兵队，王受尽酷刑，大义凛然，未供出一人，日寇以厚利相诱，亦不屈，终遭杀害。

郝书萱被刺后，其家人一面电话报警追捕，一面送齐鲁医院抢救。警察局十馀名伪警沿青

龙街搜寻至新东门桥时追上毕复生。因毕夺路逃出时，手腕部被枪击中，鲜血直流，伪警循血迹追寻，至桥上将毕包围。毕毫无惧色，向伪警说：国家兴亡，匹夫有责，凡我同胞皆有爱国之义务，不应卖国求荣，遗臭万年。伪警听后，低头不语，竟让路令毕逃走。后国民党山东省主席沈鸿烈得悉此事，书"铁血之花"在《抗战新闻》登载，并召见毕复生，由省府每月拨给经费，以助其扩大和加强除奸救国团组织。

青岛李村劫狱案

王逸民

青岛李村监狱，旧有"模范监狱"之称，一向被视为铜墙铁壁，不会出事。谁知20世纪40年代初国民党特工人员经过周密安排，竟将里面关押的国民党中统特派员谈明华及其同伙张侠等劫走，成为李村监狱一件破天荒的大事。

谈明华等几人于青岛沦陷后潜伏德县路明德小学，在夹壁里设有收发报机，与敌后的山东省政府保持联系。明德是教会学校，比较安全，谁知里面出了个叛徒韩某，秘密向敌海军特务部报告。日方与教会联系，教会拒不承认。日军便在韩某指引下起出收发报机，将谈等逮捕。也许因为教会的关系，谈等没有遇害，而被送往李村监狱。

山东省政府主席沈鸿烈指示在青的特工人员全力营救。他们与国民党游击队栾志超部取得联系，重金收买看守人，并秘密送进了武器。几个月之后，内外安排就绪，按约定时间打开铁门，一百多人蜂拥而出。谈等得救后连夜赶到沙岭庄海岸，那里早已备好接运船只，乘涨潮之际驶往薛家岛转赴敌后。沈鸿烈还为他们的脱险归来召开了欢迎大会。

青岛日伪部队以为这是崂山的游击队干的，遂派出机动车辆分几路向崂山追击，不料扑了个空。监狱内其他在押人犯也有一些乘机逃出，有的逃脱成功远走高飞，有的被捉了回去，加处重刑。

抗战胜利后，谈明华回到青岛，成了国民党市党部委员，还专门看望过李村监狱曾帮助他们的几个人。张侠曾任青岛《新民报》校对，一件蓝布长衫，老实巴交的样子，看不出是特工。谈则西装革履，金丝眼镜，颇有国民党上层人物的派头。

泰山龙潭水库建修之谜

马铭初

泰山西溪之龙潭水库系1942年日本人侵占泰安时修建。敌寇入侵给我国造成极大灾难，却在泰山修建水库，既非为泰山增添景观，亦非供人们游泳，更非为蓄水灌田造福泰安人民。其真正目的，实为用以淹没镌石《墨子·非攻上》。初冯玉祥先生息居泰山，李烈钧曾前来相晤。他们目睹日本侵占东北四省后，又进窥京津，华北岌岌可危，皆为国心忧。就在这民族危亡之秋，1935年，李烈钧书写了《非攻上》，镌刻在磨磨石边，意在唤起国人积极抗日。原来磨磨石这地方有一方石坪，大可亩馀，光滑平整，极便刻字。李书《非攻上》，字径50公分，深刻约5公分，汉隶体，端庄大方，峭劲有力，镌字皆以红漆着色，鲜艳耀目，游人莫不叹赏。

《非攻》是墨子的重要论著，墨子处于战国弱肉强食的时代，所以他提出“非攻”的主张，反对战争，反对侵略，反对强国吞并弱国。这在三四十年代无异于一篇抗日檄文，正刺着敌寇的痛处。若将刻石炸掉，用不了几包炸药，但有碍体面，于是他们便采取建水库的办法，将其淹没于水底，同时还落下个“为民造福”的美名。其事知者不多，爰撰此文，俾无负冯、李二公的爱国之心，又揭露日本侵略者的狡诈所为。日后倘使李书《非攻》刻石再现，当知其来有自。

邓演达墓发现记

秦在简

1930年创立中国国民党临时行动委员会(中国农工民主党前身)的邓演达，为反对蒋介石的独裁统治，联络国民党左派实力人物共同奋斗，不遗馀力。1931年4月下旬，他草拟了《反对南京国民会议宣言》，揭露即将召开的国民会议是蒋介石御用的军阀、官僚、买办、洋奴、地主、豪绅、党棍、学阀的会议；阐明发动工农平民革命，铲除此群败类，实现全国的统一，才是救国的惟一正途。文稿秘密印出后，由王寄一于5月4日深夜带进会场，散发在预定第二天开幕的国民会议每个代表的座席上，给反动会议当头一棒。蒋介石对邓公早已恨之入骨，开幕时，目睹人手一份《宣言》，更是愤怒异常。8月17日，有卖党求荣的叛徒向蒋告密，并指引特务至上海愚园路愚园坊二十号将邓逮捕，21日押送南京新街口羊皮巷监狱。经蒋利诱威胁，邓仍坚贞不屈。许多国民党左派人士出面营救，均无效果。11月下旬，蒋命他的侍卫长王世和到监狱请出

邓公,共同登车,示人以即送邓于某处囚禁的假象。车行至僻静路段,于邓公不在意时,下车枪杀。蒋之狡诈杀人,至于此极。

1948年某日,我沿京杭公路出南京中山门前往句容。过麒麟门后车出故障,勉强上坡下滑过五棵松不远,停于路侧修理。我下车漫步闲眺,见公路北侧有一土坟,石碑上刻"邓演达之墓"字样。我非常惊异,邓公忠骨何以寄埋于此。抚碑遐思,感慨万端。1949年4月,解放大军横渡长江,农工民主党南京市支部(当时名称)公开工作,我告以曾偶然见到过邓公坟墓所在地。5月间,该支部二十馀人乘马车来到邓公墓前敬献花圈,告慰英灵。坟头经雨水冲刷已略微缩小,四望群山丘陵,都无树木,只有芳草蓊茸而已。几年后,忠骨得移葬于中山陵东的新建陵园。

为"国"捐躯

笑通　光义

王笠汀(1911—1948),旧莒县人,出身豪门,抗战初期在国民党鲁苏战区于学忠部下任机要秘书,后调《阵中日报》任编辑。1945年日本人投降后,擢升《山东新报》主编。

1948年元月某日,《山东新报》第一版首条新闻为笠汀撰稿，大标题为“鲁省国军蠢动无地”。省城见报，舆论大哗。经当局查实，并非印刷中排校之误，而属王笠汀将“共”字误写为“国”字，其原稿被复制登报。

王自感落笔不周，引咎辞职。时不逾旬竟突然身卒。一时传说纷纭，有言服毒自杀者，有言被暗害者，有言暴病误治而死者……，不管舆论如何，人死无言。

1948年1月30日，王笠汀丧事在济南北郊举行，主祭人是其族兄王衢。吊唁者虽然不多，但有挽词两则颇值一记，其一是同行杜若君所撰，杜原系山东省政府山东公报社社长，辞职不久逢王辞世，其词曰：“我辞职，君辞世，先后似曾有约；君闭眼，我闭嘴，是非付诸无言。”另一挽词云，“为‘国’捐躯，同哭一声。杀身成仁，掷笔三叹。”

王寿彭轶闻

张昆河

王寿彭，潍县人，清光绪二十九年(1903)癸卯科状元。山东省在清朝112次进士科中，共有六人中状元，潍县即有二人，王寿彭是其一。

光绪二十九年癸卯，本不是考选进士的年头，按制度要在光绪二十七年辛丑举行会试。只因光绪二十六年庚子正值八国联军侵占北京，慈禧太后、光绪帝逃往西安，到二十七年辛丑，侵略军还没退走，仍不能举行考试大典，所以推迟到二十九年癸卯补行。

又，辛丑年恰是光绪帝的三十岁整寿。清朝

一代，为了笼络汉族士子，常常在新皇帝即位或皇帝整寿之年，乡试、会试加试一科，叫做“恩科”，以示皇帝加恩士林。光绪帝在当时虽然已因变法为慈禧太后所软禁，但他还是皇帝。清政府的诏旨和对外国书仍是以皇帝名义颁发，当然，他的“万寿”还要依例庆祝。为此，乡试、会试都增加一次“恩科”。可辛丑年本是会试正科之年，便在第二年壬寅增一科合并举行，这一科即为“辛丑壬寅恩正并科”，简称“辛丑壬寅并科”，在癸卯年补行，王寿彭得中了这一科状元。

王寿彭中状元，首先是得力于他写的字。殿试前十名的试卷，照例要进呈皇帝御览钦定。清朝自嘉庆以后，皇帝都懒得细看文章，读卷大臣们阅卷也趋向于在书法上着眼，特别是进呈的前十名殿试卷，要求写得肥润工整，以免被皇帝挑剔。于是在科举中兴起了黑、匀、圆、光的馆阁体，士子们终年练习写“大卷”(亦名殿试册)，以求高中。王寿彭的字，在黑、匀、圆、光上确是有工夫。

除书法外，王寿彭中状元更得力于他的名姓。这一科是皇帝“万寿”的恩正并科，读卷大臣要取个吉兆。恰巧姓“王”，名“寿彭”，暗合皇王的寿龄比于彭祖之意，状元就非他莫属了。第二名榜眼取的是左霈，以示恩霈天下；第三名探花取的是杨兆麟，以示祥麟瑞兆。总之，三鼎甲的名字合起来，是对皇帝“万寿”的最好颂祝。于是他们三人都因取名祥瑞而高中了。

赵尔巽与柯劭忞

涂北文

赵尔巽是汉军正蓝旗人，同治进士，翰林院编修，曾任晋、湘巡抚、户部尚书、总督兼成都将军，辛亥革命前调任东三省总督。这位清朝大员，相中了泰安县城作为菟裘之地，在县城南关洼子街建第宅一区，内有园池之胜，俗称“赵家花园”。民初之时，“辫帅”张勋坐镇徐州，逊清遗老麇集于济南(后转移至日本劫占之青岛)，泰安曾成为济南—徐州复辟势力聚会之地。赵尔巽在其中起何种作用，未曾闻知，只知道他主持《清史》的编纂工作，与山东有些关系。1914年(甲寅)清史馆在北京成立，赵尔巽出任馆长，居然能聘到缪荃孙、马其昶、章钰、夏曾佑、张采田、姚永朴、余嘉锡等绩学硕儒参加撰稿。赵虽是达官显宦，却颇重视人才，所以能依靠柯绍忞，请他担任总纂，后来年衰患病时，径请柯氏代理馆长。1927年赵逝世后，柯遂继任馆长，并于翌年完成这部五百三十六卷的史书《清史稿》。

只有对这位书生气十足的柯氏深信不疑，放手让他处理编务，才能延请到一些货真价实而不是徒有虚名的撰稿人。柯氏不仅结交罗致当世名儒，而且慧眼独具，拔识真才于千百后进

之中。例如当代目录学大师余嘉锡先生，十八岁应乡试，时柯氏为主考官，即录取为举人，深加赏识。民国初年，余先生在常德师范教书，柯氏将他推荐给赵尔巽。年甫三十左右的余先生到北京后，赵即请进家中居住，除延其教子外，并委任为清史馆协修，使余得以广交当世学者，裨益有成。他如陈汉章、胡玉缙、杨树达和牟润孙等，皆是柯氏所教诲所拔识的后进。

柯劭忞(1850—1933)，字凤孙，号蓼园，原籍胶县，迁居潍县。光绪十二年进士，曾任翰林院编修、贵州学政、署京师大学堂(北京大学前身)总监督等职。柯氏除《清史稿》外，最著名的著作是《新元史》，此书博采当时中外研究成果，融为一体，列入“二十五史”，日本东京帝大为此授予博士学位。这位在学术上眼光开阔而思路通达的人，在日常生活中却因专心治学而显得呆头呆脑。如潍县陈恒庆(与柯同年进士)曾说及，柯与其舅赴河南禹县投亲，不幸遇大雨，所同乘之骡车坠崖，其舅罹难。柯氏在大雨中守尸终夜，又竭力办理后事，狼狈不堪。事后转至遂平省其父佩韦公，进屋见有新购之书，立即翻阅，竟忘记禀报舅父遭祸之事，经其父询问才恍然记起，被老子狠狠训斥了一顿。如果把同样担任方面大员的韩复榘、阎锡山等人与赵尔巽相比，他们是不会尊重信任这种书生的。看来赵尔巽颇能脱俗，值得一记。

孙传芳轶闻

严承飞

先父严丹卿著《心斋文集》，于民国二十五年(1936)由泰安大陆印刷局出版，内有一文云：“吴孚威(吴佩孚)与某巨公论世系，孚威自其父溯至鼻祖，知之详而言之切；某巨公甚至不知其高曾字讳，而始祖更无论矣。孚威哂之！某巨公大惭，退而出巨金为修谱牒。经营数载，半途而废。夫以某巨公之雄才大略，何事不济，乃修谱数册竟如是之难，良可慨矣！”及余稍长，问先父“某巨公为谁？”先父曰：“孙传芳。”余又问孙之事迹，先父曰：孙传芳，字馨远，直系军阀中之“孙馨帅”也。生平史书有记，余述其几则轶闻可也：

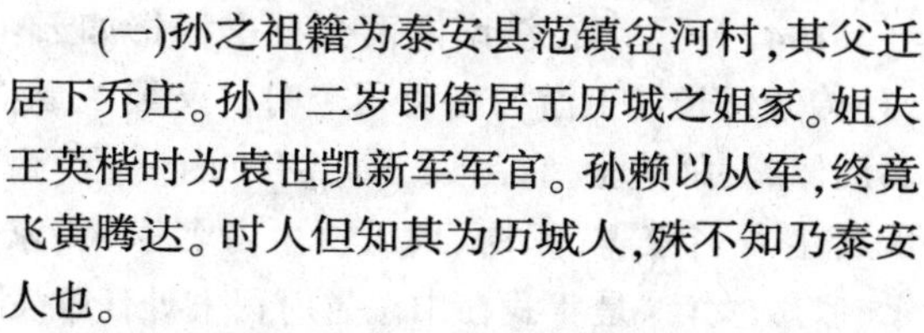

(一)孙之祖籍为泰安县范镇岔河村，其父迁居下乔庄。孙十二岁即倚居于历城之姐家。姐夫王英楷时为袁世凯新军军官。孙赖以从军，终竟飞黄腾达。时人但知其为历城人，殊不知乃泰安人也。

(二)民国七年，孙率护兵马弁回泰安祭祖，又为其元配树碑，并倡修族谱。修谱之事，即余《文集》中所述者。其为元配所立之碑，上书“震威将军一品夫人孙孺人之墓”，碑文有“其先潜德弗彰”之语。但据人谈，其元配为张氏，而碑题

"孙孺人",不知张氏何以变为孙氏,一品夫人何以变为孺人?又孙称"恪威将军",而碑题"震威将军",亦不知何故?

(三)民国十七年北伐后,孙隐居天津租界学佛,二十四年为施剑翘以"报父仇"而刺杀于居士林。孙被刺后,时人议论纷纷。先是数年前,报纸上即屡屡放风,谓孙与段祺瑞辈野心不死云云。时人谓此乃杀孙之舆论准备也。然段则主动南下居沪,自置于蒋介石掌握之中,冀释其疑。而孙则麻木不仁,反称"我即我",后遂遇刺。时人谓孙不如段之叶落知秋、明哲保身也。孙死后,段惊郁成疾,次年亦死去。时人谓"打死孙传芳,吓死段祺瑞"。施刺孙后,先判极刑,后改徒刑,旋被特赦。白云苍狗,变幻莫测,似有一巨掌操纵其间,时人谓杀孙者蒋也,施乃执行者也。然事涉中枢机密,外人岂知底细!时人所云,或系臆度。即使如此,其中亦有发人深思者,故述之。

1947年,余在济南闻商会秘书嵇彬如云:"孙传芳任长江上游警备总司令时,又娶一妻,名周佩馨,师范生,宜昌人。孙共有四子一女,张氏所生者名家震、家钧,周氏所生者名家裕、家勤、家敏(女)。"是年我在山东省府秘书处任收发员,曾见主席王耀武、秘书长刘兰谷陪一状若农家之妇女漫步办公室前。此人短发,圆脸而稍黑,个不高而稍显粗健,着黑便服,无华饰,极朴素,举止大方。余始以为泰安同乡,后询之刘兰谷,刘曰:"此施忠诚之妹施剑翘也。"

“狗肉将军”把持山东教育

涂北文

张宗昌，山东掖县人，早年闯关东，在哈尔滨等地厮混，并流落至海参崴，与当地军警及盗匪，乃至俄、日浪人均有联络，辗转投靠奉系军阀，从而发迹。1925至1928年任山东督军，把持全省军政大权。张是匪棍出身，狂嫖滥赌，横行霸道，鱼肉乡里，素为鲁人痛恨。他有两个绰号：长腿将军、狗肉将军。“长腿”一语双关：他是典型的山东大汉，腿当然很长；但他又是多次败阵之将，善于逃跑。至于“狗肉”，并不是说他喜食狗之肉。当时京津一带赌场流行推牌九，赌客多有广东人，粤语读“九”如“狗”音，叫牌九为“牌狗”，赌场遂以“吃狗肉”为赌博之隐语。张宗昌是北方官场中出手最阔绰的赌家，故戏称之为“狗肉将军”。

狗肉将军督山东时却偏要以振兴中华文教为荣，于是民间就流传一些笑话，如有云：

张一日忽临女子师范，见学生打篮球，正抢球投篮甚烈。张怒斥学监曰：“大闺女家的，同抢一个球，多不雅观！太小气了，麻利地给她买去，一人赏一个。”这则笑话是讽刺张土里土气，不知篮球为何物，显然是附会。张曾在海参

岁的华商总会担任门警警长多年，是见过些洋世面的，不会不懂打篮球。这一笑话，民间又传为李鸿章或韩复榘之事，总之，均是“齐东野语”而已。

又一则云：张视察女子师范，学监集女生列队欢迎。张睹燕瘦环肥，大饱眼福，退而欣然谓学监曰：“姑娘们长得不错(“村”之土音)，每人赏大洋十块。”学监颇感措词为难，只好对众生宣布为“张督军颁发之奖学金”云，这一则是说张竟将女生看作应堂会之艺人或妓女。大概这也是附会。吾母虽于张督鲁之前二年已在女师毕业，但与当时在校的师生相识者甚多。后来我曾问过几位大姨，皆云不知此事。正是子贡说的“纣之不善，不如是之甚也。是以君子恶居下流，天下之恶皆归焉”。

这些笑话大概是嘲张宗昌以“振兴文教”来粉饰自己而激发出来的。张主鲁之后，即请前清状元王寿彭出任教育厅长。王寿彭倒是个饱学之士，书法亦属上乘。但也有则传言说，他这个状元是捡来的，其实是个平庸之辈。据云大比之时，他的姓名含义为“王者寿如彭祖”，考官因其吉祥，为取悦皇上特拔为头名状元。又因王寿彭思想保守，济南为“五四”运动发祥地，青年们看不惯他，他又在狗肉将军麾下出仕，亦被清流轻视，于是就出现了“捡来的状元”的传闻。

张宗昌占据山东之后，礼聘前清状元，又和衍圣公孔令贻结为换贴的把兄弟，与曲阜孔门成了通家之好,并亲赴曲阜举行祭孔大典。此外还有所谓刊刻《十三经注疏》之"韵事",此事传闻甚广,但该书实非张氏所刊。清同治八年(1869)济南士绅于趵突泉西侧之原金线泉址左近建立尚志书院,又名"金泉精舍"。书院同仁在山东巡抚丁宝祯领衔下校勘《十三经》,同治十一年以"尚志堂"名义发刻全书,并附有署名丁宝祯的校勘记,其发行者为当时设在明湖南岸东侧之山东书局,这是一个较好的版本。王寿彭任教育厅长之后,就用这副木版于1925年重新刷印,分订七十册,名为《十三经读本》,并代张宗昌做了篇序文置于前端,遂被外省人误认为张督办刊刻了大部头的经书。其实只是旧版重印,不过加了篇冒名的序文而已。

说起张宗昌办学,不管其动机如何,客观上还是好的。在光绪帝锐意维新之时,1901年山东巡抚袁世凯奏准设立山东大学堂,聘唐绍仪为校长。民国初,1914年奉令裁撤,分立为工业、农业、矿业、商业、法政、医学六个专门学校。张宗昌则于1926年下令恢复山东大学,又将六个专门学校合并,设五科十三系,文学系即设在尚志书院旧址。王寿彭出任校长,提倡读经,思想迂腐,当时山大教授二百馀人,既有留洋博士,又有革命志士,当然不听状元公的那一套,1927年6月,王氏在众口责难下拂袖而去。原拟请驰名海外的"怪杰"辜鸿铭接替,但辜已就北京大学之聘,婉辞不来,张宗昌于是自任山东大学校长。张氏所把持之山东大学，不听首都指挥，自行其是，北京教育界戏称山东大学为“亚历山大”，即“亚洲历城(济南府旧治历城县)之山东大学”，暗示不属中华民国管辖之意。

1928年北伐军进抵泰安，狗肉将军即变为长腿将军，逃出山东，结束了他的扶植圣教、昌明道德的闹剧。

《新鲁日报》摭谈

张稚庐

军阀张宗昌祸鲁时，自称“义威上将军”，老百姓则谥为“狗肉将军”。1926年他在济南创办了一份御用报纸——《新鲁日报》，20世纪20年代中期在齐鲁风行一时。社长管凤岗，聘江南旧文人范烟桥、孙东吴之流为主笔。该报日出两大张，有社论、专电、本市新闻等，发表的言论极为悖谬，狺狺诋毁“五四”新文化运动和北伐革命。对订户每月还随报奉送《新鲁月刊》一册，无非“买一送一”，广售其奸而已。

报馆门禁森严，两旁站荷枪士兵。编辑出入，岗上士兵脚跟一碰，须赶紧甩个“五百”——敬礼。编辑不握枪杆，却也一一授予军衔，不伦不类，当时被我国报界传为笑柄。有一邻人，原在大明湖畔的富贵茶园(戏院)里唱彩旦。后来戏班散伙，生活窘迫，经人荐入新鲁日报馆干勤杂。岂料不足半年，他居然升为“军官”，戎装佩戴，俨然过市，街坊上深以为异，难怪济南流行过一句歇后语：“张宗昌的兵——无数”。

该报的副刊名为《新语》，实则是旧语，其戏评、诗话、笔记、轶闻等，五花八门，散发出一股旧文艺的霉味。所连载的两部长篇小说《蛇环记》和《虎穴历险记》，更以荒诞离奇之情节，迎合小市民阶层的庸俗趣味。1928 年 4 月张宗昌仓皇宵遁，该报遂销声匿迹。

乡老会议

马铭初

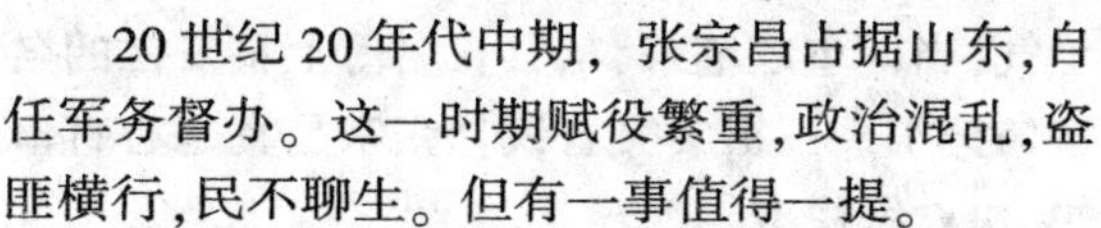

20 世纪 20 年代中期，张宗昌占据山东，自任军务督办。这一时期赋役繁重，政治混乱，盗匪横行，民不聊生。但有一事值得一提。

1927 年夏，张在济南召集一次“乡老会议”，着全省各县推选乡耆代表参加。余三祖父冠卿先生是清末庠生，时任当地小学校长，在泰安知识界颇具声望，被推为乡老代表出席。临行前，家人还有犹豫顾虑，三祖父以为既已被推举，不去不好，于是决然赴会。

一周之后，三祖父从济南回来，与家人乡里谈到会议情况和张宗昌其人。三祖父说：大家都认为张宗昌是个目不识丁的武人，其实不然，他在大会上讲话头头是道，语言铿锵有力，看来颇有点知识。说着从包里取出一份文件，是张宗昌在大会上的开幕词。我一看是个十六开的石印本，倒也理通文顺。当时我还是个小学生，只记得开头几句的大意是：兄弟主鲁以来，多蒙各位关照支持，宗昌十分感激，今天把乡老们请来，共商治鲁大计，请大家多发表意见云云。

三祖父还介绍说，这次除了开全体会议外，张宗昌还分别征求了意见。他亲问三祖父："你是泰安人，你们县怎么样？有什么问题？"当时泰安县长名安仁，已经五十岁开外，相当昏庸，地方上土匪横行，他却利用迷信团体黄沙会去维持治安，不但无济于事，反而弄得地方更不太平，他对土匪案件的处理也拖拖拉拉，下不了决心。三祖父把这一情况如实汇报后，张宗昌十分生气，当即拿起笔来，从县长名簿上将安仁的名字勾掉了。三祖父笑着说："张宗昌真是心直口快，快人做快事。"

三祖父还说到，会议期间，生活上对代表们照顾得很好，临走给每人买了顶草帽，做了件夏布大褂，还赠送了不少路费。

张宗昌此举无论本意如何，但确曾使一些贪官昏吏有所收敛，他在开会期间还是敬重耆老，肯倾听意见的。

马鸿逵一揖"千金"

王明波

民国十七年，国民革命军马鸿逵部驻防山东临清。一日，临清清真模范学校的六位负责人，请五十多位回民富商共商募捐扩建学校事宜，马鸿逵亦在邀请之列。结果捐款总数离计划一万元尚差一千。众人面面相觑，谁也不肯多掏一文。这时，马鸿逵冲大皮货商陈嘉言一笑，说："这一千元就请陈先生补齐吧！"说罢双手一拱作了个揖。又道："陈先生，我这一揖能值一千吗？"陈嘉言面红耳赤，坐立不安，忙哭笑不得地点头道："这一千元我补，我补。"

"韩青天"与山东文教界

涂北文

韩复榘主鲁八年，与张宗昌之流相比，似尚有些"青天大老爷"的封建清官派头，至今鲁人谈及当时吏治，竟谓"比国民党好多了"。

韩虽具相当文化水平，又出身世家，吟诗作

字也能随大流，不像某些逊清大员那样附庸风雅,但他对于文教并未特别提倡。不过也有一二琐事可述者。

何思源系国民党员,随北伐军入鲁,在韩主鲁之前已任教育厅长。韩对国民党存有戒心,何又非韩之袍泽,但韩颇敬重何之书生素质,凡山东文教均放手倚仗,信之不疑。两人相处颇融,故何得以施展其意图,无上级横加干涉之虑,更无“秀才遇见兵,有理说不清”之苦。

北京大学教授梁漱溟先生，以哲学家之心境,提倡乡村建设,韩亦能理解而支持之,划出邹平等县区,军政文教大权均交梁掌握,使他放手进行其社会改革实验。一般高级知识分子也难得有此雅量，而韩以区区武夫能之，殊为罕见。

赵太侔先生创办之山东省立实验剧院于1931年解散后,不少师生参加剧团以演出为生。原教务长王泊生与其妻吴瑞燕返回北平，与部分学员组织剧团。时值九一八事变,赵先生特为该剧团取名“晦鸣社”,取《诗经》中“风雨如晦,鸡鸣不已”之意,勉励剧团在国难当头时,当一只唤起民众之雄鸡。王泊生偏爱京剧,并力图革新,取爱国的历史人物故事编成新本,到各地巡回上演。当晦鸣社又到济南演出时,其爱国剧目引起韩复榘的注意。一次上演《文天祥》之际,忽然一着灰色军装之副官到后台下令“停演”,大家正疑惧时,只见韩氏身着长袍马褂,手持旱烟袋悄然登台，向观众发话道："王先生编的戏很不一般，兄弟认为大有深意，列位要好生想想。这才叫做移风易俗哩！"经他这一即兴式的表彰，晦鸣社声名大噪。1934年为"韩青天"主鲁四周年举行庆典时，韩指名到北平特邀晦鸣社来济演出。该社的新编京剧吸取现代剧的特点，韩更加欣赏。当时的教育厅长何思源与赵太侔是北大同学，受赵之托，也从旁赞助。韩于是拨出专款，恢复剧校，定名为山东省立剧院，归教育厅管辖。韩能如此支持戏剧改革，也颇难能可贵。

传说韩主鲁时，曾下令女子不得穿短袖、短裙，并在济南西门设岗，见有短袖女子，即以油漆涂抹所露之臂。此系有关韩之"逸话"之一，当是谣传。抗战前我在济南，目睹亲友中年轻妇女夏日短装高跟，出入无碍，并未见有过此事。但韩夏季下令济南行人在街道及公共场所不得赤膊，则是真的。20世纪50年代后期，我到济南郊区劳动，遇上北园的隗君，他原是旧日大明湖的撑船工人。他说当年某日在大明湖码头，艄工们赤膊乘凉，远远看到一穿纱褂、戴巴拿马草帽及墨镜之人，有人说"老韩来了！"大家慌忙躲避，惟恐按章课以罚款。只听韩大声喊："老乡们住下！"众人诚惶诚恐，有的赶快取褂欲穿。韩笑道："你们不要怕，干活的人脱了褂子乘凉，是应该的。我罚的是那些经商办公的，你们放心赤膊。"然后韩登上隗君父子的船，欣然游湖，酬以大头十元。

但韩确实有刚愎自用作风，有时发怒，也可杀人不眨眼。来山东后，年事渐高，平日对知识分子尚能以礼相待。但曾听青岛大学理学院长黄际遇教授谈及，韩任河南省主席时，河南大学张校长因事与韩相争，韩恼羞成怒，大喝“跪下！”张校长说：“士可杀不可辱！”韩说：“今儿我就杀你！”黄先生其时任河南教育厅长，急忙劝说，在座各位也同声求情，才算免此一厄。有关韩的事迹，失真夸大者居多，但此事当属少数信史之列。

“我们保韩主席做皇上”

孔广臻

韩复榘祸鲁八年，以第三路军总指挥兼山东省主席名分，集军政大权于一身，犹未为足，又置司法独立于不顾，在省府设堂问案，擅专生杀大权。山东省高等法院曾通过南京中央政府提出质问，韩以军法为借口，拒不听命。他问案既不按司法程序，又不以法律条文为依据，往往随口将犯人处以死刑，由执法队押赴南圩子门外刑场枪决。因刑车牌号系“八”号，故当时济南人常以“请你坐‘八’号汽车”为嘲骂之词。其草菅人命，任意断案，传为荒唐趣事。

20世纪30年代初，济南南关后营坊街东段道南，现门牌四十二号至四十六号之间，有一裁缝店。裁缝某与泰安县一巫婆私通，组织会道门，自称元帅，扬言“天下将大乱，有真命天子降凡”，动员善男信女入会，收取香钱，封官许愿，甚至有大家闺秀入会，被封为九仙姑的。此外又制做黄袍、旗幡、金牛等物，气焰甚为张狂。事露，为侦缉队破获，捕入狱中，韩将亲自审问。案犯极为恐慌，买通看守人员，重金聘一著名讼师问计。讼师俯首思之良久，乃告为首数犯数语，令其过堂时如嘱回答，包管无事。

数日后，韩升堂问案，当问及你们保谁做皇上时，他们同声回答：“我们保韩主席做皇上。”韩闻声大笑，乃以愚民无知，薄惩释放。

韩复榘与高步瀛

涂北文

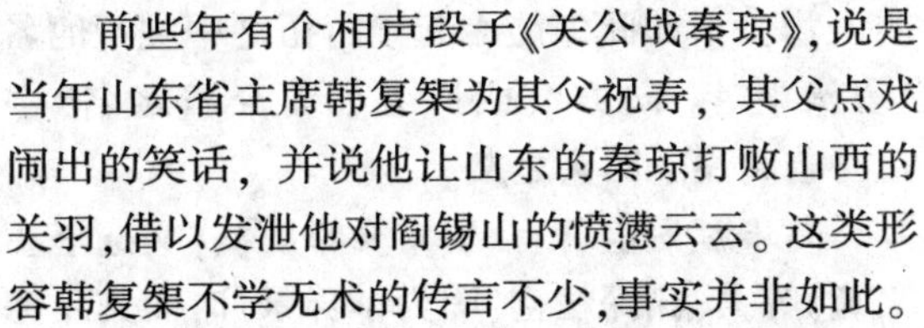

前些年有个相声段子《关公战秦琼》，说是当年山东省主席韩复榘为其父祝寿，其父点戏闹出的笑话，并说他让山东的秦琼打败山西的关羽，借以发泄他对阎锡山的愤懑云云。这类形容韩复榘不学无术的传言不少，事实并非如此。

首先，韩并不是山东人，而是河北霸县人，他的父亲更非质朴之村农。霸县高氏是世家大户，韩的夫人高艺珍为他奉父母之命的结发妻子，且是著名学者、北师大教授高步瀛(阆仙)之妹。过去婚姻讲门当户对，与高家结亲的韩门，自然也非中下人家。

韩出身于地主家庭，就读私塾，不过是个浮浪子弟，不能循规蹈矩，屡被家长责打，逃奔外方，从而投军。他在旧式军队中因识文解字，算个文化人，从担任文书起，一路顺风，升迁到第三路军总指挥，攫取了山东大权。平心而论，他的学识可以抵大半个秀才，拟个呈文、写封八行书札还是胜任的。

1936 年韩复榘巡视泰安，召集学生讲话，我在前列，得以亲睹其风度。他身着长袍马褂，长脸，微须，体型瘦削，举止斯文，颇似当时的中医先生。讲话前要向中山像敬礼、唱党歌等如仪。司仪为县长周百锽，唱歌时，他过于积极，竟向大家打起拍子来。韩则慢慢地说："停"，然后当众申明此时无需打拍子，要求县长也肃立齐唱，于是重新开始。他的讲话也是文从字顺，层次分明，并不次于中学校长的讲话水平。看来是个聪明人物，不如此怎能崛起于行伍之中呢？他名"复榘"，字"向方"，或许也如蒋介石之名"中正"，暗寓浪子回头之义。

高步瀛先生著有《唐宋文举要》、《文选李注义疏》等书，渊深精密，固为学界景仰，而其品德尤为端方。他曾任教育部社教司司长，与鲁迅同事。鲁迅曾对齐如山说："阆仙是个行不违所学的人，阆仙高就高在这里。"北洋军阀徐树铮素好附庸风雅，屡欲拜门为师；陈调元重金求托为其父撰墓表；高均未俯就。韩在山东称霸时，也借姻娅之谊敦请其来山东任职，高夷然不屑。

但韩欲以礼贤下士之姿态出现于社会的愿望则始终不衰。他请梁漱溟来山东搞乡村建设实验，请王泊生、赵太侔在济南恢复山东省立剧院等行动，也算聊以弥补此憾吧。

韩复榘之死与西安事变

马节松

西安事变发生时，高级将领的表态至关重要。时韩复榘任山东省主席兼第三路军总指挥，手握五师八旅之重兵，对局势举足轻重。事变后，韩曾通电响应张杨兵谏。据传此电由梁漱溟拟稿，一说为何其巩拟稿，起稿日期为21日，故称“马电”；但参谋处及省秘书处发电时已至25日。同日，蒋介石在张学良亲自护送下回到南京，见到韩所发之“马电”，极为愤怒。但由于时局动荡不得不强忍怒火，未动声色。抗战开始后，第二十九军奋勇抗敌，佟麟阁、赵登禹为国捐躯，而韩复榘手握六万重兵，于日寇兵临城下之际，却图保全实力，率部南逃，被蒋介石名正言顺地处死，但此事与韩发出之“马电”亦不无关系。

何思源“斯文扫地”

王予久

何思源文质彬彬，一派学者风度。20世纪30年代任韩复榘治下的山东省政府教育厅长时,有一次上班迟到了一刻钟,韩要责打他二十军棍。省府秘书长张绍堂急忙上前劝阻说:“何厅长是文官,哪能用军棍打呢?”韩说:“不打也得罚。就罚他把省政府礼堂的地清扫一遍。”于是何思源就到礼堂手持扫帚扫起地来。

一些人知道此事后，诙谐地说:“何思源斯文扫地矣！”

何思源智换人质

张振和

“七七”事变后,日寇大举南侵,韩复榘不战而逃,山东全境除渤海边隅及鲁南山区外,大半个山东轻易陷入敌手。1938年韩被处决,沈鸿烈继任省主席。省府迁至沂蒙山区,何思源以教育厅长兼鲁北行署主任身份，留在渤海地区打游击。他联络当地一些国民党杂牌军，流动于无棣、沾化、利津等县，成为国民党滞留华北敌后的游击力量之一。

何思源早年留学海外，自1928年起连续主持山东教育，是CC系北方派骨干，在国民党地方实力派中为正宗人物，有较高声望。日本华北驻屯军司令官冈村宁次认为，如能诱逼何投降，便可顺利招抚华北国民党地方武装。遂于1942年1月1日，令宪兵队逮捕何思源居留天津意大利租界的法籍妻子何宜文，女儿何鲁丽、何鲁美，儿子何理路、何宜理，并将他们押解到惠民县城，作为人质，要挟何思源降日。日军派飞机散发传单，声称：何若投日，伪汪政府部长、山东省长任其选择，否则其家属生命难保。又扬言将派重兵押着何的亲属为前导，进攻鲁北游击队驻地。

在保全家口生命与维护民族大义之间须做出抉择的关键时刻，何思源没有屈从日寇的卑劣要挟。鉴于日军是通过意大利租界当局抓获他的家属的，他也下令立即在鲁北辖区教堂中拘捕七十名意籍传教士和修女，作为“反人质”，并且宣布，日方如杀害他一名亲属，他将处决十名意籍人作为报复。同时他派出几路人马，分赴平、津、宁、渝，奔走抗议，控诉日军违反国际公法的暴行，要求交换人质。人质问题进而扩大化、国际化，意大利、法国政府相继出面与日本交涉，日本内阁与华北驻屯军司令部间也产生

龃龉。冈村宁次被弄得进退维谷，只得于同年1月26日下令，由宪兵队长小林爱男亲自将何思源亲属安全送回原天津意租界。鲁北扣留的意籍教士也相应获释。

何思源的反人质斗争，由于态度坚决，应变机敏，费时不到一个月就取得完全胜利，日寇精心策划的逼降阴谋终成泡影。

记忆中的何思源

梁兆斌

何思源先后有两件事，一直记在我的心里。

一是重然诺。1940年，他从抗日后方鲁北来鲁南，向省府沈鸿烈主席述职，我趁此机会访问了他，并代表《山东公报》向他约稿，他满口答应了。不久，先后送来了三篇：《中国欲何往》、《战时经济的探讨》、《印巴为什么要分裂》，我一一予以登载了。

二是爱教师。1941年冬，我在省民政厅工作，适省政府改组，沈鸿烈调任中央农林部长，牟中珩继任山东省政府主席，何思源由教育厅长调任民政厅长。因日寇不时扫荡，大家天天在一起"跑情况"，不分上下级都是生死相依，亲密无间。在临朐胡庄，敌人刚刚扫荡过去，何思源一时高兴，谈起"尊师"来。他说："1919年，我在北大念书,选修法文。第一个教师很松,行不行都给六十分,同学反而念得不上劲。次年换了第二个教师,严的不得了,一分就是一分,不及格就留级,叫你过不了关。由于读书认真,我对法文产生了浓厚兴趣。之后,我在美国哥伦比亚大学毕业,再到欧洲深造,先在德国柏林大学,继转法国巴黎大学。由于在北大那段苦读,我的法语说得相当流利,很博得老师和同学们的好评。我不仅有很好的听讲看书能力,而且还翻译了几部专著。1936年,我在济南任教育厅长,这两位法语老师都先后远道来教育厅看过我,我当然都以礼待之。对第一位老师,只是招待住宿吃饭游玩,而对第二位老师,则毕恭毕敬,从内心里崇敬他,感谢他,是他给了我知识。"

他说:"对学生不能和稀泥,应循循善诱,谆谆教诲,高标准严要求地使之青出于蓝而胜于蓝,取得严师出高徒的成果。"

与于学忠的一次谈话

梁兆斌

1940年12月29日,我有幸从临朐吕匣店子乘马到安邱圈里(地名)访问了于学忠,并带去沈鸿烈对他的亲切问候。征尘甫卸,在一间极简陋的民房里的昏暗油灯下,承他接见。

他精神矍铄，平易近人，说话虽带蓬莱乡音，但极风趣动听，看来很像一位小学教师，无一点军人、官僚气息。

他说道："我与成章(鸿烈)兄是在东北张大帅(作霖)、张少帅(学良)身边工作的老同事。成章兄长我数岁，道德文章冠侪辈，文韬武略异常人，不仅是我的益友，而且是我素所崇敬的老大哥。现太平洋战争爆发，香港已经沦陷。我们在广大敌后地区，敌人对我实行'三光'政策、物资封锁，即一根火柴、一滴煤油、一斤食盐、一尺白布亦很难得。值此生死存亡紧急关头，你看成章兄有什么困难，有什么需要我帮忙的地方，尽可做声，我一定尽力而为！外面风传我前次被刺是沈主席所指使，我不信。这是有意离间。我二人应互相信任，别让奸人得逞。"

最后，他深情地说："当今之时，只有全力御侮，共同对敌，消除猜忌，才能打败日本侵略者，争取抗战最后胜利。否则，我们将上对不起列祖列宗，下对不起子孙后代，中更对不起我们自己的良心，不仅有负国家和人民的重托，而且也将成为中华民族千古罪人。你说，我们能那样吗？我们能甘心吗？你回省时，请向沈主席捎去我的良好祝愿！明晚总部有新春联欢晚会，希望你能参加，并多提出意见。"

事情虽已过去半个多世纪，于、沈两先生也已先后作古，然而我当时以《山东公报》编辑兼记者身份与于先生的这一次不寻常的交谈，迄今犹历历在目，萦绕脑际。

请柯克上将看戏

孔广榛

1947年初，国民党第二绥靖区在青岛浮山所办的干训班举行结业典礼，晚上邀请著名演员在大礼堂演出精彩京剧。绥靖区副司令官兼青岛警备司令丁治磐，特请美国西太平洋舰队(第七舰队) 司令柯克四星上将和海军陆战队司令克莱门准将前来看戏。七时整,他们偕同随员准时到达。因丁治磐有急事需迟到半小时,由副秘书长梁传琴(曾在美国留学)和秘书主任刘锡山(曾在英国留学)等接待,并说明丁因急事迟到,希望见谅。

柯克等在贵宾席就坐,一面听梁、刘等解说剧情,一面聚精会神看戏。忽然值星官大喝一声"立正!"后排之军乐队立刻高奏"迎官曲",原来是丁治磐到了。按照国民党军队中惯例,最高长官驾临操场、会场,都是如此排场。此时丁请来的军阶比他高得多的贵宾柯克上将见台上演出停止,乐声大作,全场起立,感到莫名其妙,竟也慌忙站了起来。梁、刘等想加以解释,但已来不及了。丁治磐在盛怒之下,打了站在会场入口处的值星官一记耳光，急命随从副官传令停止奏乐,全体坐下。进入礼堂后,又再三向柯克和克莱门等人道歉,他们都面带愠色。须知这是十分失礼的事，哪有贵宾起立迎接迟到的主人的道理?结果是不欢而散,丁也觉得很失体面。值星官则认为自己做了应做的事而受责,非常委屈。据梁、刘说:“美国海军比较随便。若是古板的英国海军,还可能提抗议呢!”

事后，丁治磐对干训班负责人晏子风少将也发了一通脾气。

左连成告御状

王德河　李养兴　李宏升

左连成字日升，夏津县左王庄人。其父左笃，为人诚实，治家有方，家境殷实。畜一走骡，用以代步。那骡个大腿健，身毛青黑，惟四蹄洁白，人称“踏雪”，又号“玉足”。左笃视为奇珍，常乘之过市，而自矜夸。巨绅某曾几次以高价购取，均被左笃回绝，辗转托人，亦未如愿。因此衔怨，欲伺机报复。适值征缴漕米，巨绅某遂贿通官府，威逼左笃为村人代缴，左笃因事出无由，拒不缴纳，遂以“抗捐”谳成死罪。左家人等四处奔忙，上下贿使，然无济于事，终至秋决。

左连成时年十三，天资颖悟，就读村塾，深得塾师钟爱。见父蒙奇冤，悲愤欲绝，连连赴州府告状。状投衙署如堕烟波，积滞年馀，消息沉淹，连成终日愁眉泪眼，不知所措。塾师见状心下惨然，遂代书状纸，嘱其赴告京师。左连成趱行月馀，行抵京城。煌煌帝都，殿宇参差，街衢纵横，行人如云，连成举目无亲，哀告无门，淹滞日久，川资荡尽，无奈行乞于道。一日大雪，连成衣衫褴褛，饥肠辘辘，瑟缩街头檐下，路人无不嗟叹。适有一喇嘛过此，见其可怜，于心不忍，领之归寺，询及身世，深为怜悯，遂索状纸代为上告。喇嘛尝与一王爷过从甚密，常以诗、棋相邀。遂借机进言，央王爷将连成之冤密达上听。王爷亦起恻隐之心，慨然允诺，几经斡旋，竟得恩准，降旨地方将该知县革职；巨绅某亦被充军，并责其为左笃铸一银头厚葬。左笃大冤得雪。

连成以其十三岁之孱然弱躯，辗转京师，历尽艰辛，为父申冤，实属奇迹，令人敬仰，当地人至今仍传为佳话。

刘士端活捉“毓小辫”

李仪轩

1896年4月15日，单县大刀会首领刘士端以为母亲祝寿为名，聚集会众商议起义大事，同时在单县城西的刘庄、曹楼、火神庙唱大戏，聚集数万之众。在聚会的广场上，东西两侧搭起两座戏台，戏台前面搭起了彩棚，彩棚两旁红旗如林，刀枪满架，棚柱上写着对联："替天行道安天下，一口宝剑震乾坤。"到会的会众肩扛红缨枪，身背大刀，腰别匕首，全副武装，威风凛凛，精神抖擞，这是农民起义军显示武装力量的一次大检阅。

这次聚会，震惊了清廷。残害百姓杀人如麻的汉军正黄旗人、曹州知府毓贤乘此唱戏的机会，乔装成算命先生偷偷溜进了刘庄，私访大刀会的虚实，以便伺机进行镇压。毓贤是一个非常残忍的贪官，而且是名酷吏，曹州人不知被他杀了多少。老百姓给他起了一个绰号"毓小辫"。他在曹州知府衙前放着十二个"站笼"，笼底上插满尖钉，他让起义的农民站在铁钉上，头吊在木笼上，把人活活折磨死。

这个大刽子手进入刘庄正在向看戏的人们打探消息，刘士端看他鬼鬼祟祟，认定不是好人，派人把他当场捉住，关在刘士端的家中，准备聚议审问，但还不知道他就是知府毓贤。毓贤被捕无计，径向刘士端的母亲苦苦哀求，刘母心软怕事，竟暗地把他放走。岂意第二年刘士端反被毓贤捉拿，惨遭杀害。1899 年毓贤以平捻有功擢升为山东巡抚。刘铁云在《老残游记》中提到过的那个人就是他。

夏莲居缓颊救鸿一

李澍霖

郓城夏莲居，字溥斋，是云南提督夏辛酉之长子，生于1883年。虽是宦门公子，但自幼好学，十三岁即能诵四书五经，十八岁得中秀才。目睹清廷日益腐败，投身辛亥革命，并被选为山东各界联合总会会长。

郓城王鸿一与夏虽是同乡，并互相闻名，却并不相识。王鸿一出身平民，深谙民间疾苦，知道要使农民致富，必须发展农副业生产。他除了办教育外，还在郓城提倡用麦杆加工成草帽辫等家庭副业，以增加民众收入。当时曹州地薄人贫，民风强悍，盗匪兵痞屡杀不绝，官吏为此叫苦。王鸿一主张成立一所自新学堂，对匪徒讲明利害，晓以大义，使之改恶向善，成为自食其力的公民。然而此辈中仍有不少人顽劣成性，难以改造。反对者乘机诬告，袁世凯便断言王鸿一通匪，图谋不轨，电令山东督办将其就地正法。鲁督周自齐派夏溥斋赴曹州查办。夏和王见面之后，互吐仰慕之情，夏遂出示袁电。鸿一视若无睹，谈笑自若，夏大为惊奇，愈益钦佩，回省力向周自齐缓颊，竟使王化险为夷。

从此王、夏二人成了莫逆之交。

葛延瑛为民除赃官

孙传云　展广植　高长进

葛延瑛，字云庵，肥城县安驾庄镇人，出身书香世家。少时读私塾，在泰安府举行的童子试中名列前茅。因性格耿直，且无意于仕途，遂回故里。后方出任山东省参议员。

1914 年，冯汝骥任泰安县长，贪赃枉法，搜刮民脂民膏。常借验收地契之机，浮收民家钱财以饱私囊，曾将救灾款窃为私有，并强取各寺庙花木，伐泰山古树造家具，运济供奉上司。若有人胆敢过问，轻则罚款，重者判刑，被称为“刮皮县长”，以致流传有“冯汝骥坐泰安，鸡狗鹅鸭都交捐”的民谣。时值延瑛任省参议员，回乡察及此情，气愤地说：“其乃毁国之蛀虫，此辈不除，国民难得安生！”遂联合乡绅赴省告状。冯闻讯，忙托人说情，延瑛不允。又亲自找延瑛恳求，延瑛义正严词，当面指责道：“尔不见古代大堂上写着‘明镜高悬’四字？身为父母官，本应体恤民情，安能上食国家俸禄，下刮民间地皮？你我昔无仇，近无怨，我受乡梓之托，非为名利，实乃为民请命。我决心已定，岂有中途退却之理!”言罢，站起送客，冯只得悻悻而归。

赴省告状期间，众乡绅患得患失，先后借故退却。冯汝骥买通官府，此案被置之不理，冯不禁暗自庆幸。延瑛见状，愈加愤慨，遂只身赴京告冯。北京政府受理此案后，经调查核实，罢免了冯汝骥，泰安民众无不拍手称快。事后，葛延瑛偶遇冯汝骥。冯说："汝骥罢官，此乃天意，我是骥(鸡)，你是瑛(鹰)，鸡斗不过鹰。"延瑛讥讽道："上天有眼，匡扶正义，惩除贪官，此乃善有善报，恶有恶报也!"后泰安人捐资铸一跪着的铁像，两手各托一元宝，遍身铸满"银元"二字，胸前背后铸有冯汝骥的姓名，置于泰城遥参亭前，受世代人唾骂。

1928 年葛延瑛逝世后，当时国民政府教育总长蔡元培先生为其碑题写了"泰安葛云庵先生纪念碑"的碑文。

马保三怒打县长

马林才

1921 年，寿光县发生了马保三带领农民痛打县长的事件。

马保三老家是寿光县牛头镇，村西临近湖泊，村北一片白花花荒碱不毛之地。早年湖中曾盛产鱼、虾，风景优美。由于湖水退缩，年久在湖滨形成了大片淤滩。农民在淤滩上挖沟修田，经多年开垦,逐渐修出了三千多亩沟洫畦田,农民叫做台子地,周围河沟包围,中间是成片良田。台子地十分肥沃,又有河水可供灌溉和行船,小麦年年丰收,农忙间隙还可捕鱼捉虾,打鸟种藕,收割蒲苇,收入十分可观。邻村的地主豪绅对此垂涎已久,经常挑起边界纠纷,唆使农民来抢麦夺地,甚至形成械斗。牛头镇村大人多又团结,他们坚决保卫自己的劳动果实,每次都取得胜利。那些豪绅不甘心,密谋由县府出面,以划“学田”的名义将这片土地收归县有,土地上的收益充作教育经费。如学田划成,豪绅们就能取得使用权。

1921年4月,县长赵思忠亲带县府人员,在县队护卫下到牛头镇强行插标划地。牛头镇农民眼看到口的小麦将连同土地一起被夺走,无不义愤填膺,公推马保三领头去交涉。赵思忠根本不听农民的要求和劝阻,还肆意训斥和辱骂,因而激起了农民的更大怒火。马保三上前把赵思忠推倒在泥地里,随去的农民也一拥而上,与赵思忠带来的人围打起来。赵见事不妙,大喊“不准动手,今天停止划地插标,带马保三回县处理”。因遭到农民反对,便改口要马保三第二天去县堂受审。赵强令牛头镇划出四百亩学田,马保三坚决反对,无结果而回。寿光县共产党组织的创始人张玉山后来知道这件事,热情鼓励、支持马保三,并为他出谋划策。这场夺地与反夺地斗争一直持续数年,马保三在斗争中提高了觉悟。1924年8月,张玉山介绍他加入了中国共产党。

何占元皇亭打擂

王春贵

何占元，回族人，民国元年生于历城县党家庄。幼年家境极贫，父母无力抚养，长年寄居外婆家中，九岁经人介绍入济南振业火柴厂做童工。时有护厂师傅刘宝亭(回民，当时济南的武林高手)见何手脚利落，忠厚老实，征得家长同意，收为门徒，业余授以武功。何既长，武亦精，后又有武林高手王兆亭、左双臣二老师指导，遂练得一身好功夫。

民国十九年二月，急于出任山东省主席的韩复榘，命他的同乡、得意镖师乔冠鹏在皇亭(现泉城路体育馆西北角处)立台打擂，想借此威震济南，并标榜自己崇尚国术，于是四下张贴告示，还请来南京国术馆著名武术家马金庭做评判。

开擂第一天，但见台前评判、名流各列一边，手枪旅的官兵站立四周。武林中人因不摸虚实，并无一人贸然上台。翌日刘宝亭老师带领十个弟子来到皇亭，并叫何占元随同前去看管衣物。十弟子先后上台，均未及数回合即被乔打下台来。回厂的路上何占元暗自思忖：老师不叫我上场是嫌我年轻，众师兄未经大敌，心慌意乱导致失败;可旁观者清,我至少看出了乔的一个破绽——右架。于是他暗自下定了上台打擂的决心。

第二天,刘老师又带领他们去皇亭,何占元迫不及待蹿上台去,上前施礼道:“乔老师,学生何占元今天向您求教了。”乔说:“小孩,进招吧!”但未等何占元再客气,乔便上前进招。何镇定地闪转腾挪,躲过乔的进击,并抓住时机猛攻乔的左方,果然一拳打中乔的左下颔。乔恼羞成怒,高叫一声:“小孩看腿!”一个凶狠的横踹飞过来,何机智地闪过,只听咔嚓一声,台东南一根木柱被踹作了两段。何占元并未胆怯,趁乔未站稳来一个回手别,又一用力将乔掀下台去。观众哗然,马金庭先生作出了胜负有效的手势。

1987 年金秋,笔者在济南党家庄拜访何老,亲闻其侃述此事。

王德武打济南

张鼎麟

王德武,济南历城人,明大义,有爱国心。1937 年 10 月,日寇陷济南,暴戾恣睢,杀人如麻,俨有屠城之势。值此腥风血雨之时,未有能迎其锋者。王德武目睹惨局,仇恨填膺,立与干过军旅的王福祥在历城宅科村揭起义旗组织抗日军。当时爱国青年正愁请缨无路,立即闻风兴

起，争赴义举，在不长时间即发展到二三百人。1938年春，虽经日寇炮轰宅科，遭受损失，但其抗日意志益坚，决心更大，乃饮恨含耻，重整旗鼓，不数月即恢复原来军容。是年秋后，遂联合抗日军孟昭进部攻打济南。约定某日八点在济南东门外会合。王德武率领军队于是日早八点兵临城下。孟昭进准备是晚八点攻城。王德武见天色已亮，后继无人，知是举事的早晚时间没定准，乃决定孤军奋斗，立即整队袒臂誓师："为拯民水火，我们一定打开济南，直捣贼穴，以枭倭奴之首，洗雪万民之痛，不达目的无颜见家乡父老。"誓师毕，立即指挥士兵分两路进城：一从新东门斩关直入，一是梯城而上，以资掩杀而张声势。随之枪声喊杀声响成一团。先杀掉日伪守门卒，部队立即排闼而入。日伪军抱头鼠窜，争先逃命。部队沿着按察司街向南汹涌前进，迅速到达府东大街，直抵院前省署住地。沿途所经铺户商店，无不举手欢呼，争献汤饼肉食，大有箪食壶浆以迎王师之慨。这时"赶走日寇还我河山"的大字标语已贴上街头。日寇警备队出动全部军车还击。商民人等为了保护抗日军不受日军的毁灭，纷纷将桌椅床张和珍贵家具搬集街中，藉以阻挡日寇军车的驰骋。王德武见到日军狂突叫嚣的情况，自觉力不能支，为了保存力量以利再战，便在商民人等的掩护支持下，指挥士兵转入小巷，辗转脱离险境，分散出城。是役伤亡十数人，还有一名士兵被日寇残忍地浇上汽油点了天灯。

王德武打济南一时名震遐迩,全国皆知。

行刺汉奸唐仰杜

卢宝生 范玉德

1939年,唐仰杜充任日伪山东省公署省长,成为侵略者的忠实走狗。由爱国青年自发组成的“山东抗日铁血锄奸救国团”决定铲除唐逆,并着手秘密筹划。

济南地区“铁团”主任为毕复生(益都人),他和成员卢化西(历城人)、康友三(惠民人)、刘杰(历城人) 等曾闯入麟祥门外一日商经营的土膏店,夺得土膏四十馀斤。“铁团”用这批土膏作诱饵,结识了伪省公署专员潘兴福、常驻济南的伪嘉祥县长周某,由他们弄到两枚伪省署人员佩带的证章,并带领卢化西、李景禹(章丘人)先后六次进入伪省署观察地形,了解岗哨部署和安全撤出路线。

1940年11月某日,“铁团” 从内线获悉,翌日唐仰杜等将在伪省署聚会,接待华北一批日军指挥官,于是决定趁此时机刺杀唐逆。这天,卢化西、李景禹二人身藏武器,着褐色洋装,化装成与会的日本要员,乘租用的卧车前往省署,昂然步入聚会厅。见日伪要员麇集会场,便向唐

逆开了一枪，卢又扔出一枚手榴弹。可惜炸弹因受潮未炸，枪亦未击中，而场内日伪已吓得狼奔豕突，乱作一团。卢、李乘机迅速奔向已选好的后院西北角越墙而出，墙外接应者刘百川备有脚踏车，二人便骑车飞驰而去。

卢、李等英勇刺唐虽未成功，但对日伪反动气焰是一大打击，广大同胞则拍手称快，扬眉吐气。

刘树才义夺敌船

辛同强

1943年底，日本山夏汽船会社一〇一号大型帆船离大连下青岛，掠夺装运民财。此船身长五十馀米，载重数十吨。日海军上尉板田督船，经常滥施淫威。船员十七人，皆为中国劳工。船老大刘树才对日寇切齿痛恨，早有劫船回乡、报效祖国之意。船抵荣成成山头，为回风所阻，无法前行。板田肆虐，船员不堪其辱；又佳节临近，众人皆思乡心切。其时天暗云低，寒冷无比，刘遂乘机与船员暗商，计赚板田，将他捆绑起来，扔入大海，然后率众携船回到故乡山东省海阳县大辛家村，受到县长张维滋及村民的热烈欢迎与夸赞。日寇失船，海空呼寻多日，终无结果。为安全计，当地政府下令把此船拆开，木板等物皆用之于民。十七名船工或参军，或务农，各得其所。至今刘树才仍住在村里安度晚年，虽已八十多岁，仍耳聪目明，精神矍铄，对当年旧事记忆犹新，述其事时昂扬激越，英气未减。

尚秉和的《周易》学

张昆河

尚秉和，字节之，河北省行唐县人。父兄均拔贡。秉和十八岁中秀才，随兄到保定莲池书院同师事吴汝纶。从此矢志于文章学术，荒疏了举业，七次乡试不第，至光绪二十八年壬寅(1902)方中举人。翌年癸卯，连捷中进士。尚氏惟勤于治学与著述，广及经史，尤精《周易》。晚年曾短期在大学任教，居于北京，慕名执贽及门称弟子者不绝。一生著作二十馀种，均雕自私版或铅印行于世，在抗战前有河朔大师之誉。

尚氏在莲池书院时，读汉《焦氏易林》而好

之，强年后始专研《周易》。他将《左传》、《国语》、《逸周书》中有关易象筮卜的记载对照《周易》及《易林》反复探讨，积十年的功力，发现了已失传两千年之汉儒象数学的奥秘，还原了《周易》的本来面貌。

尚氏以《易》为周代卜筮之书，但周代的卜筮法已失传，因著《〈周易〉古筮考》十卷。又认为《易》之为书，以"象"为主(象即卦象、爻象，即解释每卦每爻之词)，《易》辞皆观象而系，"象者，学《易》之本"，乃著《〈左传〉〈国语〉易象释》一卷。证明《焦氏易林》是西汉《易》学的真传，而东汉以后象数失传，郑玄、虞翻释《易》，已失《易》之本旨；魏王弼释《易》，实为不懂象数，而以玄学解《易》，去《易》益远。唐宋以来诸儒，大倡"义理之学"，更为空泛谬悠。尚氏于是著《焦氏易林注》十六卷，《焦氏易诂》十一卷。书出后，颇震动了当时旧学术界。王晋卿评："使西汉《易》学复明于世，孟子所谓其功不在禹下。"陈散原评："读尚氏《焦氏易诂》，叹为千古绝作，以今世竟有此人著此绝无仅有之书！"

可惜尚氏虽弄通了筮法及象数学，一扫东汉以来加给《易》的烟雾，探明了西汉《易》学的原委，表现了难能可贵的创见，但他却始终未能脱出旧时代学者的治学窠臼，运用科学方法去分析解剖《周易》，研究古代的社会、哲学，使《易》学达到更高的水平，相反他却真的用筮卜占验休咎，又把自己的头脑拉回到西周、春秋的占卜迷信时期！尚氏还自认是"演算天机"，并又

著了《易卦杂说》、《易筮卦验集存》。此外，尚氏由《易》之筮卜，又旁及于自六朝以来即失传的"射覆"，并曾屡试不爽，亦可见其抉微阐绝之功。但此不过是术数小道，与学术则相去甚远矣！

尚氏晚年，总结其研究《周易》的理论，注释了全部《周易》，命名《尚氏周易学》，未及刊行，于1950年以八十一岁高龄逝世。其弟子卢松安教授等为使师说传世，本拟醵金印行，后经于省吾建议交中华书局。中华书局编辑部亦以为是"卓然成一家之言"，于1980年出版行世。此书一般人很难通懂，可能仍有失误之处，但自两汉以来，注《易》说《易》之书不下数百千部，又有哪一部堪称是完全正确的呢？

此外，尚氏有《辛壬春秋》四十八卷，是最早的一部辛亥革命史，还有《诸子古训考》、《毛诗说》、《槐轩说诗》、《文集》、《诗集》等总计数百万言，因均是抗战前印行的，除北京各大图书馆及旧家尚有收藏外，他处已很少见到。

奎虚书藏

张稚庐

进大明湖入遐园，沿回廊西行，至尽头可见一座欧美风格的红砖二层楼房，这就是"奎虚书藏”。多年来它一直是山东省图书馆的藏书主楼，自1984年5千平方米的新书楼启用后，它门前才冷落下来。

山东省图书馆为清宣统元年(1909)山东提学使罗正钧所创建。当时书楼分上下二层，共四大间，署名海岳楼。其南面亦有一楼曰宏雅阁，专贮金石。两楼南北峙立，又引湖水入馆，通以桥廊，这是仿宁波范氏天一阁的格局而筑。馆内有亭台水榭，中叠假山，花木掩映，略有园林之胜。入民国后，书楼渗漏剥落，疏于修缮。1928年济南“五三”惨案发生，日军炮火向国民党党部轰击，图书馆与之毗邻，遂遭殃及。1930年夏，城北火药库爆炸，震波所及，楼板下沉，书莫能载，不得已支以铁柱数十根。其时何思源任山东省教育厅厅长，著名学者王献唐为省立图书馆馆长，两人深知国民教育之重要，乃决意建一新式藏书楼。

1927年张宗昌祸鲁时，横征暴敛，曾以“盐引登记”为名，向盐商勒索三百万元。众盐商以此巨款非咄嗟可办，只得东拼西凑，其中包括向山东省银行借款四十万元。后偿还四万，尚欠36万。迨国民革命军入鲁，张宗昌狼狈逃遁，省银行也随之倒闭。盐商所欠乃是“官款”，改由中国银行索要。何、王二人征得当局同意，拟将三十六万元全部用于图书文化事业。当时计划，除建一具有欧美技术的图书楼外，还想收买聊城海源阁藏书和潍县陈氏万印楼藏印。此乃1930年夏所议定。至 1934 年 3 月,中国银行已累存偿款达 29 万馀元,因体恤商艰,馀欠豁免。本来这 29 万元应归图书馆支用, 讵料省主席韩复榘要了“丘八”脾气,七扣八扣,最后仅给了图书馆五万元。以这点钱建楼哪里能够,只有计钱吃面了。

新楼由建设厅的杨巨斗设计, 全楼作山字形,占地 2 亩 6 分。共分两层,第二层只建前面部分,待筹到经费后随时增筑。楼上六间,楼下十六间,可容四百人阅览。经招标,和兴成工程局以 4 万 8 千元中标承建。1935 年 3 月动工,当年 10 月落成。此楼为山东公共藏书之所在,故定名曰“奎虚书藏”,取义“奎星主鲁,虚星主齐”,意以二星之分野,括齐鲁之疆域。门颜由近代著名藏书家傅增湘题署。裒新旧典籍近 26 万册。

当年,楼下入门为阅书室,右边为接待室,次为阅报室,再次为金石文物室、齐鲁艺文展览室、慎藏库等。左边为报章杂志储藏室,次为研究室,再次为善本书阅览室、善本书库、柳氏捐书纪念室等。楼上四大间书库,中为编藏部办公室。

海源阁轶事

张稚庐

山东聊城杨氏海源阁为近代著名的四大藏书楼之一,主人杨以增性好典籍,宋元名椠、善本精钞,收藏至富。阁凡三楹,楼下供杨氏祖先牌位,楼上庋存善本书籍。每楹面积甚狭,除楼梯外,不过两楹藏书。东南两壁列三架,北壁列书橱一、书架二。楼梯右偏,列书架二。百宋一廛乐善堂故物,胥存于此。上悬海源阁匾额,为杨以增手书。阁后有正厅五大间,藏经、史部,东西屋各三间,分别藏子部与集部。其中最精者为宋版四经四史,专以锡匣贮藏,海内稀有。书屋长年深扃,不轻示人。《老残游记》第八回写老残前往东昌府看柳家藏书,这柳家即影射杨家。老残来到那里,“方知这柳家书,确系锁在大箱子里,不但外人见不着, 就是他族中人亦不能得见”,便题壁一首,诗云:“沧苇遵王士礼居,艺芸精舍四家书,一齐归入东昌府,深锁琅嬛饱蠹鱼”,虽是小说家言,却也是记实。

1916 年前后,袁世凯次子袁克文(寒云),广求宋元旧本、古刻名钞, 家中仅宋本就近二百种,百城坐拥,曾署“皕宋书藏”自诩。当时他以“皇二子”的身份收书,气派之大,聚书之速,一时罕见。他对海源阁藏书觊觎已久,苦于无从下手,最后欲以厚利饵之,乃派同乡丁子文充东昌烟酒公卖局局长,意在相机购买杨家古书,无奈历时一年,终未办到。后来,袁有一好友名宋世男,夸口说能办到此事。原来,宋与阁主杨凤阿(杨以增之孙)生前为金兰交,其时凤阿夫人主家政,他觉得以“盟兄盟弟”的旧谊,从妇人手中谋几部书或许不难。袁二公子闻听大喜,赶忙授意山东省当局委任宋为聊城县知事，以便就近见机行事。古人云："一生一死，乃见交情。"某日，这位盟兄持一部宋版《易经》和一块西装料子来到杨宅，在杨夫人面前鼓起三寸妙舌："我有一部宋版《易经》，凤阿在世时几次想要，我未置可否，觉得很对不起他，今送来，一来可慰故人于地下，二来可与府上的四经配齐，这样，五经都是宋版，世间少有。我和袁二公子也是朋友，他如今思宋版书甚切，价钱不拘多寡，府上何不趁机出让几部，顺便也可讨封，是大好事。"杨夫人听罢，当即婉谢。宋不甘心，又致函唠叨，杨夫人遂复一书，意谓：宋版《易经》乃难得之书，不必割爱。先人所遗旧书，我有保存之责，断不敢出卖。如有人以威力相加，也只有付之一炬，并以身殉之。至于讨封，人以为荣，我以为耻。儿子家居，何必穿西装，衣料奉还，如是云云。宋讨了一场没趣，知道豪夺既不可能，巧取亦无计可施，只好快快离去。

1929年7月，土匪王金发陷聊城，司令部即设在杨氏宅内，宋元秘笈、金石书画，掠去不少。有的匪徒竟用阁上书籍炊火煮饭，满地狼藉，黄荛圃手校宋本《蔡中郎集》乃用以拭抹鸦片烟签，满纸污垢，不忍目睹。次年春，军阀王冠军攻占聊城，又劫掠了海源阁八大箱宋元珍本，悉数运往其保定老巢。王冠军呜呼哀哉后，他的如夫人将书陆续售罄。说来可悲，有一年，北京崇文斋书肆掌柜孙瑞卿返里，乘火车至德县中转，恰逢有地集市，喧闹异常。孙偶在一旧货摊上发现破书一堆，无意中竟捡出一部稀世珍本宋刻《童蒙训》，乃海源阁旧藏。他喜出望外，以廉价购得，又以善价售归北京图书馆，被列为“国藏善本”。此后，屡经丧乱，阁圮人亡，藏书散尽，旧日“海源阁”者，已成书林中一梦影矣。

据悉，聊城市政府已着手在原址修复海源阁。

海源阁杨氏藏书历险梗概

李　弢

清代四大藏书楼之一海源阁的创始人杨以增，祖籍山东聊城城内万寿观，生于清乾隆五十二年(1787)，道光二年(1822)壬午科进士，累官至江南河道总督兼漕运总督。道光二十年(1840)丁父忧居乡，就聊城万寿观故址建藏书楼，亲书“海源阁”横匾。余先曾祖李公小湘，是乾隆帝南巡路经济南特诏考试孝廉第二名，故为时人敬重。鸦片战争后，林则徐再度起用，钦命巡抚陕西，先曾祖与以增先生均宦游西京。因此杨李联姻，小湘公的胞侄先十六高祖石瑚公(曾任泺源书院监院)妻以增先生长女。海源阁三世主人杨凤阿(曾执教于优级师范)死后无子，过继族侄杨承训入嗣。当时族人争嗣，凤阿遗孀王夫人难以

措置,按传统习俗委我叔祖福臣公主持,承训得以入继。海源杨氏四代,均与我历城李家有千丝万缕的关系,故藏书之流失,余得闻焉。

凤阿原配诸城王氏,另有遗妾朱氏、郭氏,均与王氏夫人同在。1922年王夫人过世,承训方从朱氏手中获得海源阁珍藏所有权。另承训原配张氏早殇,继配为北洋官僚某氏女,某对杨氏之藏曾多方图谋,是乃珍藏流失之源。

自1922年始,承训因外舅奥援宦游京华,尔时中原军阀争战,地方匪兵肆虐,如承训之身家,自难计生于故土。1927年举家移天津英租界,次年国民革命军二次北伐,西北军马鸿逵部进驻聊城,杨氏万寿观故居文物有所损毁。消息传京津,承训之外舅多次动员先生将海源阁珍藏北移。杨氏家族多次聚议,先叔祖福臣公也曾备受咨询。然福臣碍于长亲故,不肯陈己见。是年冬,承训终于把王夫人生前藏在卧室内的宋元珍本以及海源阁楼上的部分珍藏装大木箱三十馀只,分批用汽车由禹城转火车运天津西安道杨氏寓所,具体数量,难以尽言。但知1931年“九一八”事变后,承训为寓公生活诱惑,又迫于外舅之图谋,以8万元巨款(当时每44斤面粉售价1元),经琉璃厂书贩王某抵押于天津盐业银行,汉奸潘毓桂与一日本浪人均曾插手。1945年抗战胜利后,财政部长宋子文闻其事,以法币20亿从盐业银行赎出,交北平图书馆收藏。此乃杨氏数代藏书、中国文物不幸中之大幸。

1928—1930年，聊城两次被土匪王金发占据，承训命名的《海源残阁》金石画轴，多有失落。幸土匪不识版籍，大批明清善本得以幸存。外来的扰害再度引起杨氏家族的惊恐，故于1930年秋，经杨之管家邓华亭将一部分运往济南经五纬一路东兴里杨宅存放，另一部分送祖茔田庄暂存。

1937年“七七”事变起，北洋旧部沉渣泛起，杨外舅某也曾分羹一杯，出任山东省政务厅首席长官，竟力图以《海源残阁》济南之藏奉献敌酋，以冀跻身封疆之选，因此翁婿间曾多次冲突。终因承训势、财均不敌，外翁自命为承训之代理人，签约售书于伪山东省政府，以宋元残馀版本及大量明、清善本近万册，仅取得伪币7千元。尔后该批图书之大部已由省立图书馆收藏。此乃杨氏三代珍藏历险之大概，仅就所闻稽实记之。

茅盾首先倡导无产阶级文学

田仲济

中国现代文学史中，一般都说中国无产阶级文学的倡导始于太阳社和创造社的一些人。直到现在，一些人在口头上或文章中还是这么说，早在1925年5月《文学周报》第172期起连载的沈雁冰的《论无产阶级艺术》，肯定了高尔基第一个把无产阶级所受的痛苦真切地写出来，第一个把无产阶级的伟大灵魂无伪饰、无夸张地表现出来，第一个把无产阶级所负的巨大使命明白地指出来给全世界人看。在这以前，《文学周报》还刊登了之常的这类内容的文章。1923年，《中国青年》上几位共产党人提出文学应当为改造人生、改造社会努力，是茅公首先写文章表示响应和赞扬的。《太阳》月刊创刊后，他发表了《欢迎〈太阳〉》。这都是中国新文学史上不应该忽视的问题。何况现在不仅有人在文字上提出，而且茅公在《我走过的道路》里也叙述得相当具体和详尽了。

栾调甫的直钩说

田仲济

有句俗语说："姜太公钓鱼，愿者上钩。"为什么说是愿者上钩?有人解释说，姜太公用的是直钩，像针一样，所以说愿者上钩。

墨学名教授栾调甫在一次名学逻辑学课上曾讲到直钩的问题。他在黑板上画了许多钩，如弯钩、曲钩、直钩等等。他认为直钩仍是钩，如其直如针，而不成钩，则不能称为"钩"。所以称为直钩，乃因其形状是直的，既不弯，亦不曲，但是钩。

栾调甫治《墨子》，自称是为"名学"，并非为研究墨学。他认为从名学上讲，直钩其直如针的说法是不合逻辑的。此事虽小，足见栾氏析疑抉微之精细。

泰山唐宋封禅玉册今犹在

郭建良

1930年8月中原大战中，马鸿逵部攻占泰安城。翌年春，马部在泰城蒿里山施工时，挖出唐玄宗及宋真宗禅地祇玉册两份。1933年3月10日《北平晨报》曾予以报道。后来天津一家报社记者披露，马鸿逵把玉册以数百万元卖给了美国人。自此玉册下落不明，成了疑案。

1990年7月，泰安市泰山区政协文史委兼职副主任李继生陪同台湾赴大陆文物考察团一行十九人登泰山时，曾提及出土玉册失传之事。考察团成员、台湾故宫博物院器物处副研究员邓淑苹女士告知，玉册并未失传，现保存台湾，她已将玉册资料写进《中华雕刻史》。邓女士回台后给我们寄来了玉册有关资料及实物影印件。据《中华雕刻史》记载，唐玄宗与宋真宗禅地祇两份玉册，分别以不同的玉匮封存，一下一上封埋于社首山，过了几百年之后，始偶然发现。1930年，北伐战火摧毁了山东泰安县蒿里山的关帝庙及庙后的古塔。1931年军队清理残砖时，于塔底五色土内发现宋真宗禅地祇玉册，再向下发掘，又得唐玄宗禅地祇玉册。两份玉册均由当时负责清理工事的马鸿逵所保存。1950年，马赴美就医，携之存入洛杉矶某银行保险柜中。1971年，马夫人遵马鸿逵临终之命，将此国宝护送回来，保管陈列于台湾故宫博物院。

台湾故宫博物院所藏玉册，是海内外至今所发现的仅有的两份玉册，实属稀世国宝。邓女士所提供的资料，让我们重见到了唐宋玉册的影像。

徐世昌重印《明儒学案》

李孟才

1934年夏，我开始寓居河北故城县西门里姑家，阅读贾氏藏书。忘记是哪一年，前大总统徐世昌派人来故城，找到贾氏族中头面人物，接洽重印清康熙朝贾氏自刻家藏板黄宗羲原著《明儒学案》。条件是如有缺板重刻补齐，书印成后，按印数给贾家提成，无偿赠送。徐氏与贾家系至戚，很顺利地达成了协议。

《明儒学案》全书木刻板，存放在贾氏宗祠的库房里。数以百计的大木箱，从地面平排到屋顶，顺号排列，有条不紊。工作人员按照旧板本逐页校对。二百多年间原板保存良好，极少的缺板均由刻工补齐。印书纸张、印刷器材陆续从天津源源运到故城。半年多的时间，六十二卷的巨著，二百套新书，全部印成并装订完毕，除照提成给贾家赠书外，还破例赠我一部。

不久，上海商务印书馆得到消息，也派人来故城接洽，愿出重金收买《明儒学案》家藏板。贾家以祖宗遗泽不能出卖，因而未能成交。

据我所知，贾家还有两套康熙时代的自刻家藏板，一是《马(中锡)孙(绪)二公遗集》，二是《丘(濬)海(瑞)二公遗集》。以上三套善本家藏书板，据说1937年被日军焚毁。

徐世昌老奸巨滑，人称不倒翁，一生没能给人民办过什么好事。他重印《明儒学案》分赠亲友，是为了给自己挣个好名声，但对研究中国文化也算是做了件有益的事情。

研究甲骨文的洋学者

李耀曦

在20世纪30年代，济南齐鲁大学有一位碧眼金发的洋学者，不但酷好甲骨文，而且能著书立说，研究得颇有成绩。此人叫明义士(J.M. Men-zies)，汉名“子宜”，加拿大籍，英国皇家学会考古学会会员，齐大国文系国学研究所外籍教授，专教考古学与甲骨文。其助手曾毅公先生,是后来的中国著名甲骨文学家。

1936年秋,明义士曾作《商代甲骨文与商代文化》公开专题演讲,对象是齐大欧美籍教师、医生及驻济教会人员等共二百馀人, 地点在当时的“柏根楼”(今山东医科大学教学三楼)333教室。

预告写明用英语演讲, 但明氏操着英语讲了约一刻钟后, 忽然微笑着用汉语对全场听众说:“很抱歉! 我觉得用英语讲甲骨文和商代文化,非但难以充分达意,简直就别扭得很,请允许我还是直接用汉语讲吧! ”他的几句话引起在场的国文系学生一片热烈掌声。

明义士以流利地道的汉语、激越溢美的语调讲了两个半小时。他讲述了甲骨文发现的意义,三千年前中国文字的高度成就,甲骨文上刻记的商代军事、政治、经济、天文、历法、交通等情况及其与史籍记载的互证。当讲到商代的冶炼、雕刻工艺及毛笔和墨书、朱书时,他还出示了几件青铜器和一个与甲骨文同时出土的长方形青石砚,那砚凹里还残存着已凝固的朱砂! 明氏的生动讲述和实物证明, 给那些惯以西方文明自傲的欧美人士上了一堂难得的中国古文化课,闻者无不啧啧称赞,反应热烈。

经过多年悉心搜集和收购, 这位洋学者藏有大量的甲骨资料。其研究甲骨文的专著有:《殷墟卜辞》(1917)、《柏根氏旧藏甲骨文字》(1935)、《殷墟卜辞后编》(1972,许氏整理)。

明氏在齐大任教期间，住在校外南新街一座二层小洋楼上，恰与也在齐大任教的老舍先生毗邻而居。据当年的齐大学生回忆，他家的书架上还端端正正地摆着一部老舍亲笔题赠的长篇小说《离婚》。明氏其人身材不高，性格内向，平时不苟言笑，只是说到甲骨文时才会谈兴大增。倒是其夫人颇为开朗，有时还会用汉语与来家的中国学生开开玩笑。明氏夫妇有一子二女，家中雇着一位河南籍胖胖的老保姆，随侍多年，能操一口纯正的英语，却不识英文，亦不认汉字。

明义士于1937年抗战爆发时回国，仍继续其甲骨文研究和教书生涯，曾任多伦多大学人类学教授。1989年夏，加拿大维多利亚市举办《明义士藏品展览会》，展出中国文物150馀件，均为其子女提供。其子阿瑟·明义士(Arthur Menzies)曾在20世纪80年代任加拿大驻华大使。张昆河老人系昔年齐大国文系学生，曾受教于明氏门下，苦究甲骨文三载。笔者与张先生识，闻述其人其事详而有趣，遂略记之。

荀派名剧《红楼二尤》的作者

陈炳熙

世人多知道荀慧生那些创流派的名剧大都出自陈墨香之手。陈墨香(1884—1943),又名敬余,湖北安陆人。他是一位曾做到户部侍郎、内阁学士的清末大官僚之子,却不喜仕途,酷嗜戏剧,倾毕生精力从事戏剧活动,除著有《墨香剧话》、《观剧生活素描》及长篇小说《梨园外史》等外,其主要贡献是为荀派创始人荀慧生编创了几十部名剧。正如师予在《关于〈梨园外史〉和陈墨香》(载宝文堂书店《梨园外史》书后)中所说:“陈墨香一生编写的剧本很多,……其中多是为荀慧生先生编写的。有许多至今仍在京剧舞台上经常演出，如《红楼二尤》、《勘玉钏》、《十三妹》、《大英杰烈》、《荀灌娘》、《香罗带》、《霍小玉》、《辛安驿》等。”

其实列在首位的《红楼二尤》一剧，原作者并非陈墨香，而是一位名不见经传的京剧业余爱好者，山东潍县(即今潍坊市潍城区)人，当时在北京辅仁大学读英语系的学生丁士修。

丁士修，名尚志，生于1906年，比陈墨香小二十二岁，比荀慧生仅小七岁。当他二十馀岁在北京上学的时候，正是荀慧生声名大振、四大名旦在艺术上激烈竞争之秋。当此之时，四大名旦都需要新编剧本，但其中只有荀慧生具有如此胸襟，能够降贵纡尊，接受一个外行学生的剧本。丁士修出于对荀先生的渴慕，异想天开要为他编一个剧本而不怕贻笑同学。当丁氏亲自将剧本送到荀先生手中之后，竟获得了采用的殊荣。

丁士修的剧本原名《鸳鸯剑》，写到尤三姐自刎为止。荀慧生与陈墨香研究后，添了尤二姐的故事，演到二姐吞金而死。荀先生前饰尤三姐，后饰尤二姐，改剧名为《红楼二尤》。极善表现人物性格的荀大师，在一剧中创造了一刚一柔两个绝不相同的悲剧典型，从此该剧便成为荀派代表剧目之一，为所有荀派传人所必习，至今在京剧舞台上仍常演不衰。

1981年12月20日《北京戏剧报》(今改名《戏剧电影报》)发表拙文《从〈鸳鸯剑〉到〈尤三

姐〉》以前，其编者曾到荀宅向荀夫人张伟君核实《红楼二尤》作者之事，答复是确如拙文所说，确凿无误。至此，文章方始发表。弹指间这已经是十馀年前的旧事了。

江青报考山东省立实验剧院

涂北文

江青，原名李云鹤，原籍诸城，后与其母依外祖父生活，迁居济南之按察司街。1929 年考入山东省立实验剧院，时年十五岁，在济南市学戏及从事演出约二年左右。

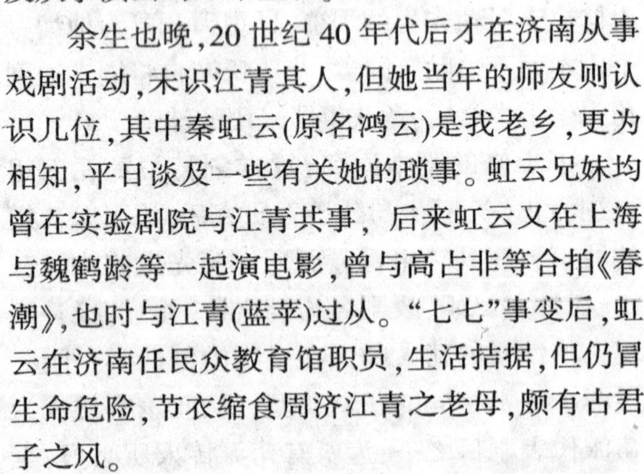

余生也晚，20 世纪 40 年代后才在济南从事戏剧活动，未识江青其人，但她当年的师友则认识几位，其中秦虹云(原名鸿云)是我老乡，更为相知，平日谈及一些有关她的琐事。虹云兄妹均曾在实验剧院与江青共事，后来虹云又在上海与魏鹤龄等一起演电影，曾与高占非等合拍《春潮》，也时与江青(蓝苹)过从。“七七”事变后，虹云在济南任民众教育馆职员，生活拮据，但仍冒生命危险，节衣缩食周济江青之老母，颇有古君子之风。

1928 年“五三”惨案发生，日寇盘踞济南肆虐。国民党北伐军后撤，设山东省政府于泰安，以孙良诚为省长，由何思源先生主持全省文教。

其时益都赵太侔留美专攻舞台设计归来，初任教于北平艺专戏剧系，与余上沅等成立中国戏剧社，想改革旧剧，提倡“国剧”。赵与何同为北大校友，遂应邀至泰安，任教育厅秘书，在泰安遥参亭设立民众剧场，招收艺徒二十来人，其中有田烈、秦虹云等。1929年省政府自泰安迁至济南，何思源批准成立山东省立实验剧院，赵任院长，又自京津及济南招收新生四十馀人。虹云也随至济南，办理招生事宜。当时风气未开，女学生一般不敢投考。为培养女演员，教务长王泊生动员其妹王墨琴，秦虹云也动员妹妹秦少英来参加，另外也只有三五女生报考，只好降格录取。该院设在贡院墙根街，距按察司街仅步行五六分钟的路程，江青也前来报考。虹云为之登记，面试。其时她仅小学程度，文化水平太低，又村气未脱，还梳着一条长长的松把大辫子，与城市少女已剪短发者不同。面试的成绩也不太好。在研究录取名单时，江青自然要被淘汰。虹云出面为之说项，理由之一是投考女生少，应尽量照顾；第二个理由很特殊，虹云说她梳一条大辫子，演农村姑娘不用化装，何等方便。于是通过。

岂知江青自以为已考上“洋学堂”，不愿再作村姑打扮，说服外祖父，毅然剪为短发，改着青裙蓝褂，前来报到。虹云及同事们见后爽然若失，以为憾事，无奈已通知录取，只好收下。

此事系虹云兄向我谈及者，说话时亦在四十馀年之前了。

程派艺术留馨济南

许介文

20 世纪 30 年代，程砚秋来济南演出，曾陶醉了许多观众。他那依字行腔、以气催声、幽咽婉转、含蓄深沉、内涵特别丰富的唱法，和他那婀娜多姿、轻盈端庄、飘然若仙的舞姿，都有感人至深的魅力。如《武家坡》的“跑坡”、“进窑”，《朱痕记》的圆场，《红拂传》中的大段“二黄慢板”“南梆子”唱腔、拂尘舞、马趟子和剑舞，无不脍炙人口。新编的几个悲剧更有撼人的力量，《青霜剑》和《金锁记》深刻描写了贪官恶棍迫害无辜，向黑暗的社会发出了强烈的控诉；《荒山泪》揭露“苛政猛于虎”，《春闺梦》则对战争发出谴责。强劲的思想意识扑面而来，震撼着观众的心灵。

程派艺术深受济南观众喜爱，学程者相当不少。著名京剧表演艺术家赵荣琛先生当年在山东省立剧院上学时，就迷程迷得如醉如痴，1945 年终得拜在程师门下，受程长达六年的“函授”，后又亲聆教益，成为杰出的程派传人。

程与济南票界关系很密切。一次程前来演出，就住在名票伍啸庵家里。济南中国银行襄理王兆钰也是名票，与程亦有深交。银行筹办储才小学(在经七路上海新村)时，程不端四大名旦之一的架子，慨然屈身在经一路集成里票房(今银行招待所)的小舞台上，热情地为之作捐献义演，剧目为《三娘教子》。程饰王春娥，陈小霖饰老薛保，轰动济南。在程的影响下，银行票友中学程派的很多，出纳员张思生的《玉堂春》就曾受程亲自指点，演出时全剧配角都是程剧团的著名演员。记帐员程静波学程颇神似，他与杜啸仙(言派老生、票友)合演的《贺后骂殿》，是当时票友中程言两派珠联璧合、颇负盛誉的好戏。职员于振之既能演《姚期》，又拉得一手好胡琴，曾为程砚秋伴奏过两场(另一场在青岛)，一时济南银行界京剧业余活动非常兴旺，且水平很是不低。

程砚秋来济琐记

张稚庐

1933年冬，程砚秋来济演出于北洋大戏院。是年程先生二十九岁，正当风华蕴藉之时，头牌上尚以“艳秋”为名(将“艳”改“砚”是1937年的事)。其时飞行家孙桐岗适在济南，他特意驾驶飞机在市区上空散发了程先生来济演出的传单，成为戏曲史上的一件趣事。三天打炮戏为《荒山泪》、《金锁记》和《春闺梦》，预告方出，戏票便全部售罄。临演之日，竟有愿购站票者，开戏时场内几无立锥之地，空前热烈。

首场《荒山泪》是程派的代表作，编演于军阀混战、民不聊生的20世纪30年代初期。值得称道的是，程先生二十七岁时曾提出“戏曲是人生最真确的反映”的观点。《荒山泪》就是以“苛政猛于虎”为主题，表现了主人公张慧珠一家五口在遭受战乱、苛捐、重重灾难家败人亡的命运。

演出期满，又续演三天。程先生离济前，孙桐岗邀请他同乘飞机，一览济南全景。当时中国的航空事业才刚萌芽，一般人都不敢冒险乘飞机。程先生婉言谢绝道：“待我六十岁后，愿一试飞行。”怎奈孙氏坚请不已，程先生被其热情所感，遂毅然穿上飞行衣登机，于蓝天之上鸟瞰了泉城城廓、山水。下机后程兴致勃勃地和孙桐岗合影留念。此事曾轰动一时，济南的老戏迷至今还津津乐道。

青岛菊坛随笔

王逸民

马连良改正唱词

京剧《甘露寺》中“劝千岁杀字休出口”一段西皮唱腔，多少年来，爱好马派的人都喜欢唱，马连良早就灌有唱片。20世纪30年代初他来到青岛，这段“劝千岁……”同样使观众如醉如痴，掌声雷动。有位票友能拉能唱，文学造诣也好，在某报任编辑，常以“感于斯室主”笔名发表戏评。他撰文说，《甘露寺》中唱词“他有个二弟寿亭侯”欠通，关羽封为“汉寿亭侯”，“汉寿”是地名，“亭侯”是官名，不能理解为“汉朝”的“寿亭侯”而把“汉”字省掉；去了“亭”可以叫“汉寿侯”，但不能去了“汉”叫“寿亭侯”。马连良看到报纸后很高兴，就去拜访这位“感于斯室主”。马原以为他是位老学究，谁知竟是一位很有风度的而立之年的学者。两人促膝长谈，甚为相得。马以后再唱时就改成“汉寿亭侯”了。

李世芳空难殒命

1947年1月，一架由上海飞青岛的客机，在离青岛市区东北方向十五公里的李村（今崂山区)附近触山坠毁,机上三十几名乘客全部遇难,其中有号称“小梅兰芳”的“四小名旦”之首李世芳,和青岛著名马派票友李幼云。

李世芳是艺术大师梅兰芳的入室弟子。当时梅在上海演《白蛇传》,电约李配演青蛇。李新婚燕尔,不愿远行。惟以师命难违,勉强应从。演完之后,立时搭机北返,打算由青转京,不幸在李村遇难。

三十几具焦头烂额、肢体不全的尸体运往青岛胶州路上一座小庙里,供家属认领,哀号之声,惨不忍闻。这是青岛历史上最大的一次空难。

李幼云遇难之后,其妻萧钰卿痛不欲生。未料祸不单行,李的儿子又被美军的吉普车撞死了。半年之间,父子二人先后去世,家门不幸竟至如此!

吴素秋的第三故乡

京剧艺术家吴素秋,原籍蓬莱,童年考入北京戏校“玉”字科,名“吴玉蕴”。后自己组班,红遍京沪。1943年与吕超凡结婚,在青岛过了六年家庭妇女生活,解放后重登舞台,在各地演出,一直定居在北京。吕超凡的父亲名吕[illegible]三,是青岛一家造纸厂的厂长,吴吕的婚后生活是美好的。她每次来青岛都留恋着不想走,说青岛是她的第三故乡。她演的《苏小妹》轰动南北,像“版权所有”一样,别人都不大敢演。还有一出《后部玉堂春》,她根本就不演了。剧情说王金龙和苏三团圆之后，被“蓝袍”刘秉义一本参倒，削职为民。王后来重新考取状元，依然当了巡按大人，三堂会审刘秉义……也许她认为有点“画蛇添足”吧，所以不再演了。

马彦祥在济南的话剧活动

张昆河

剧作家马彦祥出身世代书香的学者家庭，1928年毕业于上海复旦大学中文系，1934—1935年在济南齐鲁大学国文系任教，担任《文艺学》、《戏剧概论》等课程。当时马氏年仅二十七八，在话剧界已颇有名声，著有《戏剧概论》，还与洪深合译过《西线无战事》，并曾导演《鸡鸣早看天》、《雷雨》等名剧。马氏青年英俊，风度潇洒，喜修饰仪容，好接近同学。他住在齐大办公楼二楼单身宿舍，课馀之暇，住室中经常是学生满座。

1935年，马氏倡议组织齐大话剧社，不但文学院学生踊跃参加，理学院也有很多人参加。齐大是教会学校，“洋味”浓厚，但死读书的风气也很盛。剧社的活动给校内骤然带进了一股清新的文艺春风。

剧社成立后，第一步是请马氏利用晚上简略讲述戏剧理论，讲授地点在物理楼的一间教室里。听众坐得满满的，比上其他必修课、选修

课的人都多。第二步,选定了一个独幕剧《父归》及两个四幕剧《梅萝香》与《赵阎王》,每星期课馀排练两次。《梅萝香》由国文系女同学张彬云出演女主角梅萝香，经济系同学林威和物理系同学李度分担两个男主角。《赵阎王》由马氏主演,其他角色由同学们分担。马氏十分热心,从讲解话剧原理和表演艺术,到导演及社务活动,无不亲自承当。剧社并无经费,翻印剧本、购置道具、制做布景,统由马氏个人出资,同学们也一齐动手。经短短三个月的准备,两剧便正式向社会公演,《梅萝香》在广智院(今山东省博物馆)礼堂,《赵阎王》在青年会(今山东省基督教三自委员会地址)礼堂,各连演五个晚场。另一位剧作名家洪深当时在青岛大学任教授和外文系主任,得到马氏信函后,欣然在公演前一日来济担任舞台监督，演出时指挥前后台的演员和工作人员,使整个演出过程更为有条不紊。马氏为打响头炮,演《梅萝香》的头两天亲自登台,到第三天方由林威接替。两剧场场客满,轰动了济南。

此后，马氏又组织部分社员排练另一大型四幕剧《女店主》,由女同学翁玉华担任主角。本已排练娴熟,即将公演,不料校方认为学生演剧影响正课学习，又怕男女师生同台演出有恋爱内容的话剧会受到社会保守势力的非议，于学校不利,便下令停演。当时齐大文理学院代理院长谭天博士委婉与马氏商谈，马氏愤然予以驳回,并当场提出辞职。谭氏虽再三解释,僵局终未打破。从此马氏离开齐大，去了南京。

梅兰芳首演泉城记盛

许介文

梅兰芳1936年秋首次来济南公演于进德会(今济南第一机床厂东厂地址)，随行演员有老生杨宝森、贯盛习，旦角姚玉芙、朱桂芳，花脸刘连荣、王泉奎，武生杨盛春，丑角萧长华、慈瑞泉，老旦孙甫亭等。演出剧目有：《宇宙锋》、《西施》、《生死恨》、《凤还巢》、《太真外传》、《黛玉葬花》、《贞娥刺虎》、《牢狱鸳鸯》等。演出消息传开，轰动泉城，亲朋奔走相告，街头巷尾谈论纷纷，一时成为济南文化生活中一件大事。上自显贵豪商巨富，下至贩夫走卒开小铺的，都以争睹为快。高唐、章丘、潍县、淄川、博山乃至胶东各县，来济南住进旅馆等着买票看戏的也不少，有时等七八天还买不上票。泰安县实验小学音乐教师范某，就是四处告贷才坐了火车来济南看戏的，可见当时的轰动。票价四元(后与金少山合演时，涨至四元五角，当时二等面粉每袋一元九角)，黑票卖到六元，进德会有名的茶房张四等，就是因卖黑票被开除的。好票都掌握在军政界和警察署内，商会也有几张。演出时由韩复榘的手枪旅把门和维持秩序，在热闹气氛中带着几

分森严。

梅剧团在济演出十五天,天天爆满。最后几日梅兰芳应邀与当时在济演出的名净金少山合演《霸王别姬》,二人一个是驰名中外的“活虞姬”,一个是饮誉南北的“金霸王”,他们的合作真是珠联璧合,称绝一时。梅兰芳塑造的虞姬形象,不仅是个庄重静婉的妃子,而且是个卓有见识、感情充沛、坚贞不屈的女子。《巡营》一场,唱“南梆子”“我这里出帐外且散愁情”,以清越的声调表达了人物的内心活动,凄清悲凉,动人心魂,赢得观众雷鸣般的掌声。特别是那段寓悲于欢乐的剑舞,不仅英姿洒脱优美,更流露出人物于悲哀痛苦中强作欢颜的情绪,感情真挚,催人泪下。金少山身高一米七八,扮上戏两米多高,体魄伟岸,宽额丰颐,所扮霸王英武威严、刚愎自恃。他那洪钟大吕般的嗓子,响彻全场,在戏院外都可听清,说是声震屋瓦并不夸张。他二人配合得严丝合缝,哀楚动人,给观众留下深刻印象。此剧连演三场,场场客满,欲罢不能,观众一再要求续演,后又合演《法门寺》,以作答谢。

济南京剧票友傅石如

严薇青

傅石如，行三，谱名金寿，济南市南关后营坊人。他的先人以经营估衣起家，后改业盐商，成为济南的殷实富户，跻身于旧社会的士绅群中。傅石如生长在这样的家庭里，自幼娇生惯养，既不读书上进，又不从事生产，过着骄奢淫逸的寄生虫生活。由于父亲去世早，他又是独生子，二十八岁就留上胡子(济南旧时有“二十八须”即最早二十八岁留胡子的陋俗)，出门时长袍马褂，瓜皮帽，厚底鞋，一身清朝遗老打扮；而且纳妾，吸鸦片烟。之后又请京剧老演员给他“说戏”，成为济南知名的票友。

他先学老生，演唱《空城计》；后来跟著名演员瑞德宝学红生，演过《白马坡》。演出的水平虽然不是很高，但经常在亲戚朋友喜庆日子办的堂会戏里应邀演唱。中年以后不断观摩由天津来济的京剧花脸票友李克昌(后在济南“下海”成为正式演员)演唱的《法门寺》，收获很大。从此他就专演《法门寺》中的刘瑾，受到内外行的赞许。

在封建社会里，票友唱戏，如果不是戏班约请，不仅拿不到报酬，还要给前后台管事人“赏

钱”；前台如司鼓、琴师和其他伴奏以及“检场”的人，后台如“包头”(即化装)、管盔头服装的人等等都得给钱。傅石如自己要唱戏，当然也不能例外，为此花费不少。他为了演唱《空城计》、《白马坡》，还置备了诸葛亮、关羽的戏装，据说只诸葛亮手里那把鹅翎扇就值几十两银子。

他在日常生活方面追求享受，大吃大喝，大大超过当时一般封建家庭的消费水平。因此，有个艺名李蛤蟆的快板书艺人特地编成《傅三爷》的书段，其中有这样的唱句：“春天吃鲜菜，海米拌黄瓜；要吃咸鸡子，还得要‘黄儿’”。后来生活愈窘，纳的妾也走了，戏装早已送进当铺，抵押现金贴补度日。这时有人办堂会戏，为了表示和士绅人家有来往，有时也还请他演唱，不过得出钱到当铺代他赎出戏装来。戏唱完，他自己又把戏装重新送回当铺。再次当戏装所得的钱，也就成了他演戏的额外报酬。

以后济南成立了不少“票房”，其中“济南国剧社”是济南人组织的。傅石如这时虽然潦倒不堪，但是剧艺猛晋，理所当然被约参加为社员。在社员中，他有两个亲家，一个是陈华卿，一个是刘小鸿。陈能拉胡琴，而且能唱老生；刘专门唱小丑。有时在堂会戏里，他们三个合唱《法门寺》，傅演刘瑾，陈演赵廉，刘演贾桂，三亲家合演一出戏，成为一时佳话。

傅石如晚年生计日趋艰难，戏装早已当

“死”，无法回赎；他也不再挑剔，演唱时便老老实实穿戴起戏班里公用的“行头”。后来终于贫病交加而死。

济南第一家官银行

许介文

济南第一家官办银行是户部银行分行，开设于光绪三十一年(1905)，地址在城内旧军门巷路西。

八国联军侵华后，清政府割地赔款，被迫实行"门户开放"。列强在中国开设银行、商店，发行钞票，大肆经济掠夺。一些大臣有鉴于此，认为必须开办银行才能增加财源，并与外商相颉颃。1902年底，管理户部大臣荣禄和户部尚书鹿伟麟商请袁世凯设户部银行，并向政府提出奏议，谈道"大利之源，莫急于商务，商务之本，莫先于银行”,“中国不自设银行,自印钞票,自铸印币,遂使西人以数寸花纹之券,抵盈千累万之金”。清政府受到震动,很快批准,并调派毛庆蕃为总办。1904年户部参酌各国银行章程试办银行,作为统一货币的机关,总行设北京,分行遍布天津、上海、汉口、济南、张家口、奉天、营口、库伦、重庆等地。

当时济南分行业务范围极狭,仅限于政府税收及公款存放。根据总行规定,天津、汉口、济南、奉天等分行也可各自发行纸币。1907年济南分行开始发行银票计三万八千馀两,1908年发行四万四千馀两,流通广泛,远至东北及蒙古都能使用,北京的外国银行也不拒绝兑换,信用和收益状况良好,对于整顿各地发行纸币的紊乱现象和以后的货币改革起了一定的作用。

1908年户部改称度支部后,奏定《大清银行条例》二十四条,户部银行改称大清银行,为国家银行性质,代表国家发行纸币,经理国库事务和公家一切款项收付,以及公债票和各种证券等权责,掌管铜元兑换行情,办理存款放款,规定利率行情。总办改称监督。济南大清银行内部设置会计、出纳、文书共十多名,负责人官职相当于道台,四品,戴顶子,坐蓝呢子轿。1910年度支部又厘定《纸币兑换则例》,规定纸币面额为一元、五元、十元、五十元、一百元五种,票面为青色龙图,纸币的兑换发行统归大清银行管理,其他商号不准发行。济南分行自宣统元年至宣统三年(1909—1911)闰六月,共发行银票八十四万两,银元票四十一万两。

济南中国银行的诞生

许介文

1911年武昌首义后,清王朝迅速土崩瓦解。1912年(民国元年)1月24日,大清银行商股联合会呈请南京临时政府财政部,将大清银行改为中国银行。经财政部总长批准并奉孙大总统谕,中国银行成立。同年2月5日在上海汉口路三号大清银行旧址开始营业。

中国银行山东分行(略名鲁行)于1913年4月15日在济南城内旧军门巷路西(今十七号)原大清银行旧址成立,1922年11月迁至商埠经二路纬二路(今二三五号)。该处原系德国人1907年创办的德华银行。第一次世界大战爆发后,由我国政府没收,改由山东省财政厅占用,1919年秋,以十万元国币卖给中国银行。

鲁行第一任经理为曹秩庆,以后历任经理有袁大启(振生)、孔繁昌(印之)、汪振声(楞伯)、许体节(季符)等。鲁行总资本二千五百万元,总公积金一百六十一万五千元,存款七百万元,放款三百万元,每年汇总数为二千万元。

张宗昌督鲁时,向中国银行勒索现洋二十

万元充军饷未遂，就把经理汪楞伯扣押在军署达三日之久。后来地方封建军阀刘珍年占据胶东时在烟台也制造过类似事件。有鉴于此，加之青岛地处沿海，是山东主要的外贸通商口岸，金融业活跃，鲁行遂于1929年由济南迁往青岛，青岛支行改为分行，济南改为支行。至今中国银行山东分行仍设在青岛。

宋传典好"德昌"

石家勤

宋传典1923年出任山东省议会议长以前，在办实业方面颇多建树。所创办的工商企业名称大都带"德昌"二字。顾名思义，德昌者，以德昌盛也。大总统黎元洪曾授以"嘉禾"奖章、"实业勋隆"匾额。

宋传典家居青州城西宋旺庄。因其父在青州城里教会学校做校工，宋沾上教会的光，入广德书院，上完中学又上大学班。他信奉基督传道布德之说，并以"德昌"相标榜。宋最早开办之德昌花边庄，是经营其师英国传教士库寿宁夫妇移交与他的花边事务。他获悉西方女人所带发网需求量大，遂创办德昌发网庄，进口头发，用民间劳力织网，收集起来发往国外，从中牟利。后来他试验染发技术成功，以国人头发染成红、白、蓝、黄各色代替进口头发，织网出口，获利更丰，资本不断增加。宋又开设德昌缫丝厂、德昌永号，还设立德昌钱庄，出土票做汇兑。1920 年，宋在济南建立发网厂和德昌洋行，青州发网庄改为分厂。宋还将部分资金转至天津，筹办德昌贸易公司。宋此时家资已逾百万，为青州之首富，也是全省数得着的实业家。有人说，宋到全国各大城市都不用住旅馆，而住自己的房子。

宋并不甘寂寞，凭其雄厚的资本，1922 年当上山东省议会议员，次年又花二十多万元参加竞选，当上省议会第三届议长。张宗昌离鲁时，南京政府以宋“附逆”罪下令通缉，德昌洋行被封，宋吓得逃往上海。

“抵羊”牌的寓意

石家勤

生产“抵羊牌”羊毛线的天津东亚毛纺公司为宋棐卿创办。宋棐卿为宋传典长子，自幼随父居青州城里，就读于教会学校。后进济南齐鲁大学学习，未及毕业，即于 1918 年赴美国专攻商学。1921 年宋学成回国，协助其父经营德昌洋行。目睹当时“蜜蜂牌”、“学士牌”、“麻雀牌”等洋毛线充斥中国市场，偌大的中国竟无一种国产毛线。深具爱国心的宋棐卿决定创办毛纺厂，与洋货争个高低。宋于国外购进一套毛纺机器，在济南试纺。因缺乏经验，加之外商卖给的是粗纺机，纺出毛线极粗糙且无弹力。

初试失败，宋并未灰心，遂于1926年赴欧洲各国考察毛纺生产，并派弟宋宇涵赴美专攻毛纺技术。宇涵回国，棐卿即结束德昌洋行业务，移资天津，筹建东亚毛纺公司。对“东亚”所产毛线，公司副经理提议取名“抵洋”，即抵制洋货之意。宋棐卿认为抵制洋货为公司宗旨，但“抵洋”太露太显，容易惹麻烦，便把“抵洋”改为“抵羊”，用两羊相抵图案作商标，这样既可说明此线为羊毛所纺成，又寓含抵制洋货之意。先是找人设计几张图样，但均不如人意。宋便于家乡青州挑选两只生着弯弯大角的公绵羊，运至天津公司里，使之相抵，拍为照片，依照片绘制成“抵羊”商标图样。又以汉白玉雕成两只相抵之绵羊，立于厂内。

1932年4月5日，东亚毛纺厂正式投产，“抵羊牌”毛线挤进中国市场。为了能站稳脚跟，宋棐卿狠抓管理，不断提高“抵羊”毛线质量，使之超过美国产“蜜蜂牌”毛线，赢得了信誉。1932年，“抵羊牌” 毛线只由天津国货售品所一家经销，年销量为五万磅。次年，北京、上海、济南、烟台、汕头、长沙、南昌及四川都有了店家经销“抵羊牌”毛线，年销量达六十万磅，1935年更增至一百二十万磅，打破了洋毛线垄断中国市场的局面，成为洋毛线强有力的竞争对手。

济南的药市会

秦在简

中草药是中华医学的物质基础，是几千年来中华民族对医疗事业的宝贵贡献。野生中草药经药农采挖整理，多数只以略高于柴草的价格，集中于药市会，经行、庄、栈等中间商而成为商品药材。据调查，济南所辖荒山土坡原产中药一千零六十五味，蕴藏量约五千三百吨。济南药市会的覆盖面包括泰沂山区、南四湖、胶东丘陵及沿海地区，自然条件复杂，药材种类繁多，药农和专业药工经验丰富，代代相传。济南泺口镇是药材的吞吐港，举凡珠江、长江、运河、沿海所产药材，都由水运集散于济南。到解放前，西关城顶街还有明朝开设的药局八家、药栈五家，接待日本、朝鲜、东南亚以及国内的大批药商、药行，帮助他们采购与推销。因而，济南成为旧中国四大药市之一，有些年代济南集货量还超过祁州、亳州和禹州，对全国药材的丰歉和药价的升降举足轻重。

济南药材的最初市场是南关三和街的药市会。百年来，从农历四月二十日起，以三和街为中心的十几条街，居民的空闲屋和院落内，都住满买卖药材的客商，堆满各种药材，连趵突泉大

集也属于药材商贩的活动范围。几百里外的药农,从泺口镇卸船的药商,肩挑畜驮,大车小辆,都在三和街一带摆摊设栈。还有逛药市会的远近游客,供应饮食的商贩,挤得各街水泄不通,在药王庙戏台周围看戏的更是人山人海。川、广、云、贵和陕、甘、蒙、晋的名药,都能在此买卖。清末和民国时期是济南药市会的鼎盛期。1928 年的药市会上,川汉帮、禹亳帮和洋广帮的全部来货,还不如本省山货帮的销售量大。

1938 年黄河改行淮河入海,来药顿减,本省也因农村凋敝、交通梗阻,药材运输改由铁路直达。随着岁月流逝,药工药行大批转营他业,某些地区性特产药改为人工栽培,济南药市便逐渐成为历史陈迹。

山东水泥工业创始人朱东洲

桑乐泉

朱东洲号敬舆,字效坤,寿光大洼石桥村人,生于 1874 年。少时读私塾数年,略通文墨。父朱金全为当地盐务官吏,积蓄颇巨,为本县殷实富户。及东洲成人,其父利用家私为之捐买一盐运使官衔,东洲即以此护身,经营商业,在寿光羊角沟开设盐滩、绳席行和粮行,在侯镇设土布庄,在济南通惠街开粮行并设分号于洛口,此外还在济南经二路纬六路拥有大片房产。朱东洲本可以其偌大家产坐享清福，欢度晚年，但他目睹中国因工业落后受外人欺凌之现状，深为忿慨。当时城市建设用水泥量大，而全国水泥厂仅有唐山、上海、江苏、湖北四处，年产总量不过十万吨，远不能满足需要，主要靠外国进口。他决心兴办水泥厂，以偿其“实业救国”之夙愿。亲友认为搞水泥工业投资多，风险大，极力劝阻。东洲说：“计利国家，不惜私财。”

为选择厂址，东洲亲身实地调查，跑遍济南附近及胶济沿线，在一无勘测仪器、二无技术资料的情况下，经两年的考察，终于选在济南五里牌坊南小梁庄设厂。这里虽远离市区，交通不便，但靠近刘长山，自然资源优良雄厚，可就地取材，有发展前途。厂址选定后，即招募股东，东洲将羊角沟盐滩和其他商业资产变卖，凑足十万元入股。建厂时资金已达十八万一千元。1920年，致敬洋灰股份有限公司(今济南水泥厂的前身)成立，朱自任董事长兼总经理。办厂需用技术人才。他不惜重金聘请德人石法为技师。石法无真才实学，六年未出产品。东洲又请来德人希伯莱，生产仍无起色。此时资金几将耗尽，东洲处境十分困难。

愈受挫，愈振奋，是朱东洲的特点。他设法与上海唐少侯(河南人，曾在军阀部队中任少将军需处长，有资本)合资经营，又以每股千元，募集到四十万元。他不再盲目崇拜洋人，转请天津人华墨林管机械，田恩荣管化验，从唐山启新水泥厂请来刘天生、朱舜琴搞生产，前后奋斗十二载，终于在1932年生产出合格的水泥。

东洲于1947年因病去世，后人至今还钦佩他创办实业的爱国奋斗精神。

济南最早的奶牛业

寿逢五

旧中国向无鲜奶及奶制品业。海禁大开后，各大城市的科研单位和教会才开始输进奶羊奶牛，数量不多，规模狭小。在山东省，专业经营鲜奶及奶制食品的，首推五大牧场。1932年夏天，省立临沂第五中学教师徐眉生、高霁轩、管华三、武芳林、曹子固等五人，抱着实业救国、增进人民健康的志愿，来到济南，集资七百五十元，筹建牧场，发展奶业。开初租赁白衣庵作场址，引进瑞士奶山羊四十只，定名五大牧场，意思是五位具有科学和医学知识的教师兴办的牧场。1933年，在南圩门外千佛山下购地八亩半，扩建场房，准备发展。由于济南市民尚无饮奶习惯，乃广作宣传，奶品按日定时供应婴儿，其次是医院的伤病患者及体弱多病的老人，多馀者供应市民。销路打开后，教育界人士纷纷入股。经知识界的宣传媒介，扩大了市场，充实了设备，

1934年资金增至七千五百元。不久,美国哥伦比亚养羊学会邀请入会。1935年引进荷兰奶牛,聘请美国人设计正规的饲养场,用科学方法调制饲料,同时聘日本人石井贞次郎为兽医,训练职工,对牛病、牛疫的预防和医疗加倍重视,卫生条件得到改善,奶桶奶瓶采用蒸汽消毒。经理亲自参与放牧、饲养、挤奶、装瓶等各大环节,严格保证产品质量及卫生标准。在1935年华北乳品评比中,"五大"荣获第一名。同年,资金已达二万二千五百元。为扩大营业,又在南京开办一处牧场,支援以奶牛,两场经营管理各自独立。"七七"事变前,奶牛存养量已达50馀头,日产鲜奶600公斤左右,职工30人。1938年在经二路纬四路、经三路小纬六路开设两处乳品门市部,1939年在估衣市街开设西餐馆,都盈利颇丰。同年,东郊的同利牧场并入经营,开办同利食堂。这时奶牛达200馀头,日销鲜奶1500至2500公斤,成为我国早期颇有影响的专业奶牛牧场和奶制品企业。经营管理、饲养经验、良种推广均居全国同行业先进行列,为此后山东省奶牛业奠定了基础。

抗战前的青岛小港码头

方本壮

抗战前夜，我在青岛政记轮船公司当店员，每天跑小港码头，也与船员和装卸工们打交道。

小港在青岛市莘县路西，沿岸用石头铺砌，停泊岸边的多是年久失修的木船，油漆脱落，篷帆缝了补、补了缝，只能在近海捕鱼或间作运输，船民一家老少住在船上，出海一旦遇风，难免船碎人亡。堤岸上此起彼落的乞讨声，拉套子小孩的争抢声，间有喝斥叫骂声及随之而来的哭叫声，加上涨潮时的浪涛声，形成一片杂乱无章的噪音。

沿堤岸西行进入港口，有一长 300 米石木结构的码头伸入海内，一共四个泊位，可靠泊 800 吨位以下轮船。当时有政记、长记两个轮船公司的小火轮从这里跑连云港、石臼所、石岛、烟台龙口等地。

货物装卸全靠人力，干这一行的称“苦力”。他们直接受脚行(帮头)控制，不通过帮头是吃不成这碗饭的。干苦力的都是青壮年，虽当风华正茂之际，但个个蓬头垢面，破衣褴褛，每餐只能吃上两斤米面饼子或大锅饼。干活要扛 200 斤重的大件，从仓库到船上一般要走 30 米，往返不停地干8小时。工钱则按吨计，每装卸1吨货，只得1角钱，距离不到10米时仅按五分钱计。这样，强劳力干一天只能挣8角到1元，除去自己三餐最少要费3角，所馀还要养家。人口少还可维持，四口以上之家就难以生活，如有病有难，更不堪设想了。

帮头向轮船公司包揽的脚力费是每吨2角5分，当时小港码头每天吞吐量最多2000吨，按平均1500吨计，脚行每月收入可达9500元以上，除去各项开支，每月纯利达4000元，这是剥削劳苦大众的血汗所得。旧日的青岛小港码头是一个残破的臭水湾，也是一个不平的天地。

冰心、梁实秋、方令孺的友谊

王昭建

冰心、梁实秋、方令孺同是我国当代文坛上的三位著名学者，而且他们相知最深，互为好友。抗战年代，某日，冰心访梁实秋于其重庆北碚“雅舍”，曾在梁氏纪念册上题字：

> 一个人应像一朵花，不论男人或女人。花有色、香、味，人有才、情、趣，三者缺一，便不能作人家的一个好朋友，我的朋友中，只有实秋最像一朵花……

按：梁实秋赴美留学时，与冰心同搭一条邮轮，在船上与顾一樵、许地山、余上沅、熊佛西等办过壁报《海啸》。在波士顿，梁实秋与冰心同演过译剧《琵琶记》。他二人虽非青梅竹马，却是青年时代的好朋友。后来，梁与冰心、吴文藻夫妇，更是终生论交，成为事业上的知己。可见，冰心对梁氏的称赞绝非偶然。

未久，方令孺在“雅舍”看到了冰心的题字，也写了如下几句话：

> 余与实秋同客北碚将近二载，藉其诙谐，每获笑料，因知实秋“虽似倜傥，而宅心忠厚”者也。实秋住“雅舍”，我住俗舍，二舍遥遥相望。“雅舍”门前有梨树数株，花开时行人称羡。余拟实秋为梨花，以其淡泊风流类孟东野。惟梨花命薄而实秋实福人耳。

据我所知，20世纪30年代初，梁实秋、方令孺二人同在青岛山东大学执教。他们有个酒会，戏称酒中八仙，有杨金甫(振声)、赵太侔、陈季超、刘康甫、邓仲存(邓石如后人)、方令孺、闻一多、梁实秋共八人。他们是三日一小饮，五日一大宴，不是洪兴楼，便是厚德福。三十斤花雕一坛，罄之而后已，薄暮入席，深夜始散。“八仙”均善拇战，自谓“酒压胶济一带，拳打南北二京”。一次，胡适之过青，吓得把刻有“戒酒”二字的戒指戴上，以示免战。闻一多笑说：“不应忘记，山东是出‘拳匪’的地方。”(引实秋原语)可见他们是不拘形迹的好友。每至酒酣忘形，争论互不相让的时候，实秋总是冷静地坐在一边细嚼浅饮，不轻易发言，必到不可开交之际，他才缓缓启齿，吐出一两句轻俏的妙语而定天下。不仅此也，每于喝拳之际，梁先生必置手席上纹丝不动，但轻轻伸缩五指，以获全胜。即或偶失一拳，他必从容而言曰：“你伸慢了，但是我喝。”言次，其才、情、趣又跃然席上。至于方先生拟以梨花，殆是对他那清丽形貌与潇洒风度的写照吧。

至于方令孺，更是温文尔雅，仪态万方，散文写得极好，无愧为望溪(桐城方苞)后人。她貌似白杨(影后杨君莉)而高雅过之，也是极具才、情、趣的人。依其风采，非白梅无以状其色、香。

冰心大师乃当代文宗，其才、其情、其趣更是超越群伦的了，应拟作香远益清的芝兰。

冰莹来山东

梁兆斌

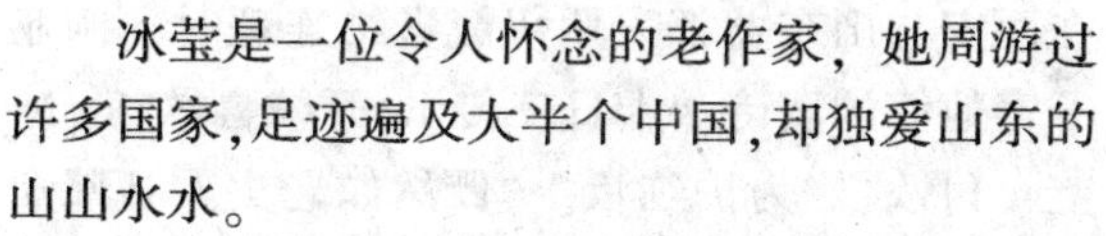

冰莹是一位令人怀念的老作家，她周游过许多国家，足迹遍及大半个中国，却独爱山东的山山水水。

1931 年 7 月 12 日，冰莹第一次踏上山东的海滨城市烟台，在烟台的大自然景色中陶醉过一番。在《海上孤鸿》一文里，她透过游玉皇殿一角，对烟台的旖旎风光做过画龙点睛的描述。她说：在如此人间仙境，我真不忍离去，然而轮船要定时启航，同伴拖着我走。

1938年4月24日，冰莹第二次到山东以战地记者身份深入台儿庄前线采访。在《踏进了伟大的战场——台儿庄》里，她在掷地有声的诗篇中说："中国的土地，一寸也不能失守!台儿庄，你伟大的光荣战史，将与日月争辉，与民族永存! "接着又写了《曹县给我的印象》，称赞曹县人诚恳、勇敢、侠义。

第三次是1947年春末夏初从北平来济探亲。我与冰莹1934年夏初识于长沙，此次又重逢于济南，这时我与董锡蕙新婚不久，冰莹偕同小女儿莉莉及爱人贾伊箴来黑虎泉上所里街五十一号看我，他乡遇故知，好不欣喜!锡蕙去忙晚餐，我们便上下古今、东西南北地攀谈起来，由冰莹唱主角，我们做听众。她话匣一开，便如滚滚长江，滔滔不绝。她谈到与鲁迅的交往，孙伏园和林语堂给她的帮助，与巴金诗的唱和，对她大女儿小号兵(即符冰)的不断思念，与冰心不是亲姊妹而胜似亲姊妹等等。甚至还谈到1942年在西安与山东益都人贾伊箴喜结连理时，柳亚子寄他们的贺诗："十日三传讯，开缄喜欲狂。冰莹今付汝，好为护红妆。"俨然如老丈人叮嘱女婿的训词，一时传为文坛佳话。直到夜半子规啼，我们才依依告别。她写有《济南散记》，以"泉水甲天下"、"济南名士多"、"山青水秀鸟语花香"等语称赞济南。

1948年春，她与伊箴应聘去台湾师大任教授，从此南北睽违，杳如黄鹤。1978年，我在济南

意外地看到香港《文汇报》载有魏中天先生的《记冰莹》，随即写了《欣悉冰莹在人间》一文，也发表于《文汇报》。1985年，我为冰莹在四川文艺出版社再版了她的《女兵自传》。我们已互通音问。

1991年魏中天赴美定居，并筹设中国文化馆美洲分馆，出版冰莹的《我的母亲》美洲版。他与冰莹见面谈及我的近况，她立即寄了信和她的近照给我，希望我今后不要与她失掉联系。

她自1922年在长沙《大公报》发表处女作《雯那的印象》以来，迄今已著有71本书。《从军日记》和《女兵自传》两部代表作，已由林语堂、汪德耀等翻译成英、法、德、俄、日等十多种文字出版，为不同肤色的读者所喜爱。她虽已届八十七高龄，仍然笔耕不辍，最近还有两部新著《冰莹忆往》和《作家与作品》在美面世。

她对祖国统一前途充满信心，认为分久必合，海峡两岸的炎黄子孙，最终将共同迈向繁荣富强。

沉樱偏爱“钻石小说”

杨　文

沉樱原名陈英，1907年生于山东潍坊，后移居济南。20世纪20年代末在上海复旦大学读书时即开始文学创作。1948年去台湾后改做翻译，共译散文、小说二十馀部。1988年病逝于美国。

沉樱抗日战争以前已出了《喜筵之后》、《夜阑》、《一个女作家》、《女性》等四本小说集。她非常喜欢散文和短篇小说，但她在台湾几十年，仅出了一本薄薄的《沉樱散文集》，其中有的文章还是去台湾前写的。用她自己的话说，她有些悔其少作。从事翻译后，她文字力求精练通畅，所译的又多是名家的名作，因此很受读者欢迎。1972 年她为新译的《世界短篇小说集》写序文时说："我对世界文学没有钻研的耐性，却是一个多年兴趣不变的读者，爱读散文，也爱读短篇小说，读到特别喜爱的便随手译出。……这些名家的短小深沉的作品，真是有着不朽的永远价值。这使我忽然想起，对于尺土寸金的地方，我们通常称为'钻石地带'，小说分类中不知是否也应列有'钻石小说'一种？在我这偏爱短篇的人看起来，觉得这类作品，除了形体微小而光芒四射的钻石之外，是再无其他东西可以比拟的。"

在散文方面，她虽然只出了自己的一本散文集，却编选了三卷包括中外精品的《散文欣赏》。当她开始编选时，她的好友张秀亚问她根据什么条件选入，她冲口而答："魅力！""魅力"与"钻石地带"是不是同义语？似乎是可以这么说的。

中国首任枢机主教田耕莘

陈松卿

枢机主教田耕莘，山东省阳谷县坡里人，1890年出生于一个清贫的天主教徒家庭。曾在兖州修道院学习，毕业后到鱼台、巨野等县传教，1918年任神甫，1932年升任阳谷教区主教，1942年任青岛教区主教。1945年12月23日受任为罗马教廷枢机主教，当即由青岛取道美国赴罗马，次年2月14日抵达。教皇之侄及教廷国务院、传道院官员、国民政府驻教廷公使，均到机场欢迎。16日在梵蒂冈晋谒教皇庇厄斯十二世，献上精致的汕头丝织餐巾一套，教皇则回赠悬有十字架的项圈一条，此项圈系天主教徒所最珍重之纪念品。田在罗马滞留到三月中旬，参加教皇加冕纪念弥撒后，去瑞士、法国作短期访问，继而去美国考察教育制度。1946年6月回国任北平总主教，主持全国教务，官方派出专机一架供田乘回。

教廷枢机主教皆着红衣红帽，故亦称红衣主教。1586年，教皇息克塔斯五世确定枢机主教为72人，现已增至200人。均由教皇委任，具有教皇候选人资格，是天主教中教皇以下的最高荣誉职位。天主教自明代传入我国，已有近五百

年的历史，以中国传教士而膺任枢机主教，田耕莘是第一位，就整个亚洲来说，亦以田氏为第一位。20世纪初，教皇庇约十一世为了在中国拓展教务，曾先后委任九位中国籍主教，但直到1946年，中国仍为天主教传教区。所谓传教区，在涵义上是以外国传教士为主体。与田耕莘膺任枢机主教的同时，在中国建成了正式的教会体制，全国划为二十个大教区，由二十位总主教综理教务，枢机主教田耕莘总领全国天主教会，兼任北平教区大主教，枢机主教公署设于北平。随之驻华宗座代表公署裁撤，梵蒂冈教廷派出首任驻华公使，并在南京设立教廷使馆。这说明中国天主教已是天主教本体之一枝，不再是一个传教区。

1949年田耕莘移居香港、美国，并曾赴东南亚各国进行宗教活动。1957年去台湾，1959年受命为台北总主教，1967年病逝于台湾嘉义市圣玛尔定医院。

潍坊风筝会忆旧

刘督宽

潍坊市办了几届风筝会，已享有风筝之都的美称。追溯其源，扎风筝、放风筝、办风筝赛会，在潍坊(主要是现在的潍城区)已有悠久历史。清代以前不论，“七七”事变前，只要无战事或其他变故，清明前后总要举办风筝会。记得我外祖父郭润琴先生(潍县著名眼科中医)曾在一本杂记中记述过丙子年(1936)的风筝盛会。那次是县政府主持，各界捐资举办，地点在朝阳桥(现在的东风桥)南、白浪河以东的沙滩上，时间是清明前的寒食节。桥北边矗立几丈高的转秋千，沙滩中搭一戏台和一主席台。早饭后,人们即往这里集中,秋千转动,身着花衣的年轻妇女轮流登上,随着指挥锣声紧响,秋千越转越快,越飘越高,几与顶梁齐平,发辫彩衣被甩得飞舞飘动,映着丽日晴空,活像一把巨大的花伞。九点前后,简单的开会仪式一过(其实谁也听不清台上讲的什么),演戏与放飞同时开始。京戏班各献出拿手好戏,但一定有《火烧绵山》,一直唱到过午。迎风而起的各式风筝,扶摇直上,五彩缤纷。天上争高斗奇,地下鼓乐奏鸣,潍县人的智慧、情趣和憧憬,尽都包融于这和乐热烈的气氛之中。围观人之多,几乎倾城出动,那规模、气势是当时任何盛会也不及的。

"七七"事变后,日军占领了潍县。1942年,伪县政府为笼络人心,讨好日军,也利用这一传统习俗举办风筝赛会,各学校必须参赛。那时我已上小学三年级,我父亲和叔父都在小学当教员,又都是业余扎风筝的能手。父亲扎了一个普通的"荷瓶"风筝,未审中。当时太平洋战争正打得紧,日军已攻占香港。审查风筝的人嫌"和平"愿望有悖于日军的战争狂热,让另扎一个。父亲又扎了一个软翅鹰,是我伯父画的,神态极刚猛雄健,又未审中,原因是"鹰"与"英"同音,日军正与英美作战,刚猛的鹰长了英国的志气。新民会的人指令要扎一只苍蝇象征英国。把脏物当艺术,亏他想得出!但也不敢违抗,便摹仿蝉的扎法扎了一个。父亲不屑去,教我去放飞。因是奉

“谕”而制，评了三等奖。那次会也在南沙滩，也搭了主席台，一个日本军官还讲了话。但放飞的都不过应景而已，十点多即结束了。到了下午，沙滩里却放起了各式风筝，直到傍晚，不过与那官办风筝会无关。

日本侵略者主持的风筝会人们不愿参加。但这是中国的习俗，中国的艺术，是潍坊人的传统活动。所以即使在日伪统治下，每年清明节前后，潍城上空仍时时飘扬着龙头蜈蚣、蝴蝶、宫灯等各式精制风筝。五十年后的今天，潍坊风筝大放异彩，其实是有其渊源的。

红装乞巧有遗风

尹秀贤

夏历七月七日俗称“七夕”，自古以来就有牵牛、织女在这一天鹊桥相会的传说。“七”这个数，又是一位数中最大的质数，古人往往赋予它某种神秘色彩，因而它又常和“巧”联系在一起。自古以来女孩子们喜欢在这天相聚嬉戏，进行各种“乞巧”活动。

据古代文献记载，女孩子们带有祝福和竞赛性质的乞巧活动，最通行的有三种形式。第一，在月光下用彩色丝线穿七孔针，先穿好者为胜。所谓“家家乞巧望秋月，穿尽红丝几万条”

(唐·林杰《乞巧》)。第二,在盘中陈列瓜果、花朵,插上银针,置于庭院中,至次日清晨验看,有蜘蛛在花果上结网者为胜。也有诗为证:“碧空露重彩盘湿,花上乞得蜘蛛丝。”(唐·刘言史《七夕高歌》)第三,中午用容器盛水,置日光下曝晒,等水面浮尘结膜,再轻轻将绣针置于水面,绣针能浮起且能从水中看出禽鸟花卉纹样者为乞得巧(见明代刘侗、于奕正《帝京景物略》)。这三种方式都和旧时女性最常用的工具——针相关合。

到了近代,这许多有趣的乞巧活动难以寻觅踪影了。不过在鲁西南地区,由于地处偏僻,民风古朴,迄今民间仍有乞巧遗风。每到七夕,乡间未出嫁的女孩,七人结为一组,各人凑等量的面粉、肉菜,攒合在一起,合伙包饺子吃。瓜果糕点,随意奉献,大家围坐一桌畅叙姊妹情谊。吃饺子时个个小心翼翼,因为有一只饺子馅中藏着银针。谁吃到带针的饺子,有可能成为巧女。咬到针后要交大家验看:咬着针尖儿,姊妹们祝贺她获得巧女的殊荣,不亚于被选为美女皇后;若是先咬着针鼻儿,就被众人讥为拙女,连吃不到针的姊妹也不如了。

瞧着姑娘们吃饺子的神态,又想吃到藏针的饺子,又怕一口咬着针鼻儿,渴望与惶惑交结,憨态毕露,煞是有趣。如此乞巧,“七”与“针”两方面都关合到,显示了这一古老历史文化现象看重集体劳动的色彩,是一项很有意义的民俗活动。

荷花灯映大明湖

张稚庐

旧时农历七月三十日晚上，济南人有到大明湖去放荷花灯的风俗。所谓“荷花灯”，就是在一小块圆木板的周围，糊上以彩纸剪成的荷花瓣，状似一朵盛开的荷花。木板中间插上一支小红蜡烛，或放一个面捏的小油灯，点燃后放在平静的水面上，任其东飘西荡。夜幕低垂，宽阔的湖面上亮起大大小小的荷花灯，红、白、黄、绿色彩纷呈，灯影映在碧波中，绚丽悦目。这时，你若坐在南岸遐园前的石阶上遥望北岸，会看到闪闪烁烁的荷花灯，将岸边婆娑的垂柳染上一片斑斓的彩霞。影影绰绰的北极庙，像是悬在丽天繁星中的一座琼楼仙阁，缥缈而神秘。满湖飘浮的荷花灯，有的由近而远冉冉逝去，有的突然火焰四射倏忽而灭……游人们指点着湖面，谈笑风生，好不热闹！

放荷灯源于佛教，其他地方是旧历七月十五日中元节放灯，济南却在七月三十日，相传此日是地藏王菩萨成道的一天，他主管阴曹地府，曾发誓要普度有罪孽的亡魂，据云放灯可使湖中“溺鬼”超生。不过，济南居民已不管这许多，倒把放荷灯当成了一年一度的赏心乐事。

中秋佳节享“面月”

刘秉信

山东潍县自明清以来，每逢中秋佳节，民间都要蒸做“面月”拜月。做法：先将面粉发酵，然后分成块状搓好揉软，用擀面杖压成圆饼，中间嵌入煮熟之红枣，排成圆形。红枣摆满后，将另一块较薄面饼的边缘用刀划成一公分左右的齿形，或用剪刀剪出，再捏成若干组，成条状，覆盖在上面，叫做“云肩”，一个“面月”即告完成，最后上锅蒸熟。面月大小不等，小者如掌心，大者径尺。临近中秋节的时候，心灵手巧的姑娘、少妇，手艺娴熟的老奶奶，都想露一手，互相媲美。他们用小菜刀、小剪子、木梳、簪子等工具，在大小不等的“云肩”上镂刻，创造出构思奇异、造型美观的各种立体图案。常见的有“嫦娥奔月”、“吴刚伐桂”、“玉兔捣药”、“喜鹊争梅”、“石榴百子”、“蟠桃庆寿”、“莲生贵子”、“撼钱树茂”、“聚财进宝”、“松鹤遐年”等。有的还用面条镶嵌上“喜报三元”、“万年长寿”等吉祥字样。尤其在“云肩”上用面团捏剪成小兔、刺猬、小猪、老鼠、小鸟、蟒蛇、蝙蝠等小动物的面月，涂上各种颜色，用红枣、黑豆或高粱粒做眼睛，惟妙惟肖，最招小孩子们的喜爱。面月还有一种做法，就是用

模子:模底刻有各种花卉、鸟兽和图案,将面填入、按压,磕出即成。这些都显示了潍县人民的智慧和精湛的面塑技艺。

每年中秋节晚上,家家户户都在庭院用圆桌摆供祭月,供品中必备“面月”一个、月饼一盘。各户儿童从亲友馈赠的“面月”中选出一个放在大门口,上面盖一蓖麻叶,圆心插一炷香,万点星光在暮色中闪烁。顿时,全城街巷到处呼喊:“念月了,念月了,一斗麦子一个了”;“念月饼了,好年景了”;“念煎饼了,骡子、马子,一大天井了”;“念扒咕(窝头)猴了,盖瓦屋楼了”;“月亮光光,小孩烧香;月亮圆圆,小孩玩玩”!呼声此起彼伏,热闹非凡,给孩子带来无比乐趣。

夜幕降下,玉兔东升,大人们在清澈如水的月光下焚香拜月,坐在一起赏月、咏月。等到月上中天,祭月完毕,家长便把“面月”和月饼切成小块,分给孩子们吃,共享良宵佳节欢乐。清末潍县诗人梁文灿在《中秋·蝶恋花》中写道:“八月中秋分一半,枣饼层层,面镂千花瓣。枣上插香香不断,小儿对月声声念。”写的就是这种情景。

中秋节后,制作精致的“面月”舍不得吃掉,趁未干透时,将“云肩”割剥下来,用线悬挂在室内,当作艺术品,供人观赏,或留做“样品”,一直保存到来年。

现在,潍坊市区的群众一直还流传中秋节蒸“面月”的习俗,儿童们往往仍能收到外婆、姑姨等馈送的枣“月”。

麦香溶溶话“碾转”

王锡缙

西周生著的通俗小说《醒世姻缘传》,多方面地展现了淄博、章邱一带的民间风情,其中提到一种名为“碾转”的时令小吃,外地人对此大都感到陌生。

碾转的制法复杂而奇特。当小麦满粒又未炸芒时,整穗带短秸剪下,捆成把上笼蒸熟,晾至半干,脱粒簸净,即可放在石磨上碾磨。碾前,先将石磨上扇掀起,在下扇凸起的磨脐上端放一枚铜元,再将磨扣合,使两扇之间微有间隙。这时将蒸晾好的麦粒置于磨顶,转动石磨,磨间便有搓碾成的细条旋转而下。由于自身的重量,细条下垂至三四指长时即自行扯断。将这些细条码在盘中,望之黄中带绿,晶莹透亮,即可食用。如再上笼复蒸,趁热拌入砂糖,或冷凉调以醋蒜泥、芝麻酱,则更为可口。食之麦香四溢,劲道,耐嚼,是麦熟季节人们最爱吃的时鲜美味。

由于制作复杂,故一家做出碾转,多作为馈赠邻里亲友的应时礼品;在淄博民间,这种风习一直保存到解放前。后来随着粮食加工的机械化,笨重的石磨早已废弃,碾转这种富有地方特色的小吃也就绝迹了。

“碾转”这一名目，很少见诸文字记载。清代文字学家桂馥在《札朴·乡言正字》中有“烧新麦曰䵺䴷”的记述，再检宋代丁度等编的《集韵》善纽“善”字注云：“䵺䴷，屑新麦为饵。”其制作法与碾转很相近。如此说来，“碾转”大概是“䵺麎䴷”的音变，它的历史可以上溯至宋代，可谓自来已久了。

雩　奇

马德怀

泗水县城西北四里许，有二村左右相连，左曰东涧沟，右曰西涧沟，二村之间有庙曰二郎庙。每逢大旱，两村人民便祈求二郎神降雨，相沿至今。

涧沟求雨，除了其他求雨方式所共有的供神、诵经以外，还有两大特点：一是至诚至虔，长跽神棚。先选出体面青壮年百人，斋戒沐浴，昼夜轮流值班跪在神棚里，从中再挑出八人，名曰“马匹”，以备二郎神附体宣旨。上述人等吃住在道场，不得回家住宿。当地歇后语“涧沟求雨——不离坛”即指此。全村人不得吃荤、腥、葱、蒜，不得戴帽袒背。二是破釜沉舟，见雨方休。道场一开，便须坚持到降雨，不因旷日持久而移志，有时竟长达48天。“涧沟求雨必灵”的

道理也就在此。

两千年前的荀子说得好:“雩而雨何也?曰无何也,犹不雩而雨也”,明确指出雨或不雨,根本与求神无关。又说:“旱而雩,故君子以为文,而百姓以为神,以为神则凶”,进一步指出了它神化死人、愚弄活人的实质。可是,这类愚昧活动至今仍在一些落后地区存在,不亦惑乎!

博山“偷婚”

宋德圃

男婚女嫁是人生喜庆之事,人皆喻为“小登科”。值吉期宴宾答贺,盛况非常。旧日博山民众独不然,只能不动声色,于夜深人静之时,偷偷行婚嫁之礼,不敢于光天化日之下举办,何也?相传为免受城东西河庄恶霸翟三虎欺侮。

翟三虎名元会,明末清初人,其父翟凤翀为当朝兵部尚书,其嫂系青州府衡王之妹,其子翟延初为翰林院学士。三虎权重势大,横行乡里,若探知乡人结婚,辄派爪牙拦路劫持。博山人民畏其头顶尚书、脚踩翰林之气焰,都敢怒而不敢言,大喜往往变为大悲,故以夜婚避其暴虐,四百年来竟相沿成俗。解放后,人民重见天日,废旧俗,立新风,婚礼遂改为白天举行。

红　丧

李宏升

红丧一名喜丧，丧仪规模宏大，耗资颇巨，多举办于官绅豪富之家。逝者为年寿较长、福寿双全的老年人。

红丧丧期一般为五至九天，理丧时间长，礼仪繁缛。设有“书主官”、“点主官”、“迎门官”，“祀土官”等十馀种职官。“书主”、“点主”二官多由有功名的人充任，功名愈显，官职愈高，丧主愈觉光彩。惟独任过司法官、从事过刑部工作者，必回避。二官执礼时身着功名服饰，由陪宾伴陪，差人服侍。其馀职官亦各恪守礼规，勤谨执事。全丧局上下品级分明，内外整肃。治丧期间，例应延请僧、道、尼作场，超度死者，煊耀局面，雇用乐工多达百馀人，分组奏乐，此伏彼起，连续不断，名之曰“富贵”不断头。各种冥器色彩艳丽，有阴宅、仓库、花卉盆景、金桥银桥、金山银山、床张被褥、脸盆盥洗用具、奴婢、御者、侍者、车马、轿子等等，备极工巧，种类不可胜数。漆饰棺椁彩绘精良，金塑八仙光亮可鉴。过侈者竟以白绸挂孝，实物殉葬。行柩棚自灵堂搭至墓地，长达十馀里。两侧以布为檐，上绘典章故事，栩栩如生。出殡日，粉饰棺轿徐徐前行，乐工仪

仗簇拥于后，送葬人等号哭相随。是时，遣殿棚、路祭棚内幡苏飘舞，香烟缭绕。箫笛笙号间相奏鸣，长乐哞哞，细曲悠悠。棚外树上墙头观者如堵。礼宾棚中横悬巨额，上书“吊者大悦”四字，意在说明生事之以礼，死祭之以礼，葬之以礼。故曰“吊者大悦”。因其丧仪繁杂糜费过奢，陋俗今已废除。

舍　猪

吴云涛

舍猪，也叫“长生猪”。旧时迷信，人得了病灾，求神祝祷，病愈，便施舍一头猪给庙里，永远饲养，不使它受刀俎之苦，含有放生戒杀之意，故称之为长生猪。清代纪晓岚所著《阅微草堂笔记》中，曾有关于舍猪的记载，颇涉及因果之说。

民国初年，东昌府(今聊城)城隍庙有一头舍猪，庞然大躯，肥笨不堪，已在庙饲养多年，重达数百斤。它颈上挂有小木牌，上写施舍人姓名及年月日。这头猪很通人性，并会赶集，四外乡镇定期的集场如徐代集、蒋官屯、李海务、柳园等处，它都记得日期，逢到哪天哪里有集，它便蹒跚而去，一点也不会走错。到得集上，卖饭的棚里、青菜市里、粜粜粮食的簸箩边，它到处踯躅，一面哼哼，一面寻找菜根、瓜皮、丢到地下的干粮之类可吃的东西。日已傍夕，集快散了，它又顺原路安详地、毫不急迫地走回，穿村、过桥、进城返回庙中。远至十多里路，它绝不迷糊。常赶集的人差不多都认得它，一路伴行，人畜无猜。有人在集上买得一褡裢子东西，也够沉的，遇到舍猪顺路同行时，可以搁到它脊梁上给驮着，让它为人代劳。不过必须先喂它一点食物，好像先付报酬似的。

这头舍猪，后来不知怎的被坏人暗地捉去宰杀了。城隍庙的老道士多方打听，未得踪迹，就呈诉于本县县署，县长饬令衙役访查，亦无结果。

人们舍猪，除了想消除病患以外，做子女的祝愿父母或其他尊亲长寿、平安健康，也可把一头猪施舍于庙中，同时更要多施香资于僧道，托其饲养。

大顺国年号石碑

方　正

山东兖州县城西四十馀里有个屯头村，靠近济宁东境。村西里许曾有一座五孔石桥名信女桥，桥头立有题名碑。碑高1.2米，宽65厘米，厚15厘米，碑额大书“大顺国”三字，正面书修建信女桥题名，题名近二百字，末刻“永昌元年孟夏梅月立”。背面无文字。桥已于1958年拆除，碑存于兖州县文化馆。

大顺为闯王李自成1644年(甲申)正月在西安所定国号，当时改元“永昌”。同年三月闯王进北京，四月以清兵大举入关而败退西安，从此一蹶不振。兖州此碑刻于孟夏梅月，即农历四月，当在闯王已放弃北京，清兵尚未占领山东之时。

大顺国号和永昌年号，仅在有限的地域内使用了百馀日。镌有这一国号、年号的传世刻石全国罕见。

桓台王氏四世宫保坊

王锡缙

王氏四世宫保坊历经沧桑，幸免浩劫，现仍耸立在桓台县新城镇南北大街上。建筑庄重典雅，除额石、楹联为青石构建外，全用水磨青砖雕砌而成。远望雄浑舒展，近观雕工精细，形制奇特，在北方尤为罕见，当地称之为砖牌坊。

此坊始建于明万历四十七年(1619)。当时兵部尚书、蓟辽总督王象乾因戍边有功，晋爵太子太师，朝廷追赠他的曾祖王麟、祖父王重光、父王之垣皆为太子太师、兵部尚书，王氏遂出重资延请徽州工匠建坊纪功。坊额大书"四世宫保"，在封建社会实为难得的荣耀。新城王氏自嘉靖以来，科第极盛，号称"江北青箱"、"极人文之盛"。王象乾之弟象坤、象晋、象恒，从弟象春，皆举进士，先后入朝为官。王象晋著有《群芳谱》传世，他的孙子便是清初著名诗人王士祯。这座牌坊成为新城王氏世代簪缨、书香绵延的象征。

牌坊为三间式飞檐斗拱砖瓦结构，居中一大间，单檐五脊四坡庑殿顶，其下额石横披，楹联分列两旁，再下为巨型拱门，横跨大街中轴线，可容汽车通过。两旁两小间为较低的歇山顶，下带须弥座，小拱门稳压石基。顶脊两端镶吻兽，正中高耸麒麟驮宝瓶，飞檐八角各系风铃。基部八只高座石狮紧贴砖壁，形成夹柱。坊壁雕有云纹花卉，历四百年锋棱尚锐。牌坊横广9.2米，进深3.33米，高15米，如此宏伟的坊体，重量全靠两座1米高的方丈石基支撑。建筑线条的流畅多变，力学设计的精确巧妙，令人叹为观止。坊额大字为正楷书，端方稳健中透出灵秀之气，故老相传为董其昌手迹。

此坊至抗战期间坊顶多有残损，日军因行车不便，曾勒令拆除。王氏族人筹资修葺，始得保全。十年浩劫中，族人以石灰涂平坊额，红笔大书革命口号，使其免遭“破四旧”厄运。1982年，省文化厅拨款进行维修，使这一闻名遐迩的古文物恢复原貌，四方慕名来参观者络绎不绝，成为淄博市的一大景观。

泰山经石峪诗碑

秦在简

我国名山各有许多石刻。点景的多作榜书，字数不多。题诗的碑刻，恒发人悠思。民国二十年前后，我曾登泰山，时值游人稀少，极一日脚力，独上独下。得卖茶老翁指点，踏着涧石往访经石峪。山水漫流于经石上，跣足踏经石读字，似觉经石在抗拒水蚀。时已暮霭四垂，抬头只见崖畔水涯有一诗碑，笔势古雅凝重。诗曰：

曝经石畔水泠泠，镇日独来倚树听。
说与旁人浑不解，半天翘首万山青。

抬头四望，情景交融，含蓄无限。此诗涵蕴深广，易叩游人心扉。作诗人的姓名，早已忘却。六十年后某日，趁会议间隙，再探经石峪，环顾寻觅，不见碑踪，惟万峰苍翠逼人而已。再次涉水读字，方始领会到在此峪石上刻经的用意，在已解与不解之间。默读原诗，又有会心。

博山琉璃鼻烟壶

张茂荣

琉璃，旧时称为“烧料”、“料器”。博山久以出产鼻烟壶等琉璃制品闻名海内外。随着清代朝野上下吸鼻烟成风，烟壶种类日见增多，档次升高，制作工艺趋于复杂。自清代中叶起，博山开始为清廷内务府制作套料雕刻烟壶毛坯，有内外两层以上的颜色，加工后里外呈现不同色彩，是烟壶新品种。乾隆年间，博山琉璃工匠被内务府征用，到造办处所设琉璃厂制作琉璃产品。博山当地雕刻加工套料烟壶，借鉴国画线描，起初皆为阴刻花纹；阳刻立体图案乃由北京艺人传授，逐渐形成自身特征。

烟壶内画技艺是北京艺人所创。光绪年间，博山料器商人王某在北京经商，出入于内画烟壶艺人家中，时间一久，逐渐探知其用具与方法。归博山后遂告知当地民间彩画艺人毕荣九，开始研制内画烟壶。毕荣九内画题材广泛，他不仅传授儿子，还授徒赵雨亭、张文堂。博山早期从事内画的艺人还有薛向都、孙潭普等，他们与毕荣九一齐潜心研制，教授传艺，奠定了博山内画基础。

博山琉璃内画烟壶，以透明琉璃水晶料做成壶坯，有圆、扁、方、长等大小不同的壶形。艺人用弯头竹笔伸进口小如豆的壶内,反向绘画,山水花鸟、人物走兽,无不精到。伴随社会需求的增长和艺人本身技艺的进步,内画题材也日见广泛,多涉及传统故事和古典文学名著,如《水浒》、《红楼梦》、《西厢记》等。后又发展肖像画,借鉴欧洲名画技法,取材于西方著作,丰富内画内涵。近几年,博山内画艺人曾出访西欧北美,当众作画,受到赞誉。许多收藏家不惜重金购其内画壶,并于报刊作高度评价。

桃核猴与潍坊核雕传人

赵　申

对于一般人来说,桃子的核是毫无用处的,但在民间艺人手中,桃核却能成为精致绝伦的工艺品。

尝见有一枚利用桃核原生裂隙雕制的章料,长13毫米,宽14毫米,高不过10毫米,印钮部分最高仅3毫米。毫厘之间雕刻出一对栩栩如生的猴子,处于嶙峋山石和桃树枝叶之间。其中一猴略大,居中偏下,背山石,侧位,弓膝坐石上,尾稍露,细如针尖;另一猴横攀于坐猴上方,前肢垂撑,后肢跨蹬山石,尾直翘,面正向。二猴细毛匀披整体,额隆,目凹,嘴突,扬颔相向,似在“目语”。坐猴捧一桃欲食,又似示之于对方。二猴左前方近处枝端结桃两个,衬叶四片,皆可见主叶脉络。章立面侧刻“鲁潍都兰桂镌寿猴”阴文八字,各约2×2毫米,笔划细若蚊足。依珍藏者推算,应是作于1932年壬申(猴年)。

都兰桂曾获巴拿马赛会三项奖, 甲等第一和两个乙等,享年七十九岁,逝于1960年。他的义子、门生考功卿称他为潍坊桃核雕刻的第四辈。据考讲,第一辈姓李,久在京城,清末归故里诸城,多刻朝珠、佛珠,后传艺给绰号“张大眼”的同乡,张为第二辈。都兰桂师承父艺。当年,其父尝去诸城买杂皮,爱上张的手艺,拜了老师,住在张家力学不怠,张亦两次赴潍传艺。都兰桂亲传儿子、女婿和考功卿三人,后儿子务农,女婿教书,技艺不传,惟考功卿收都兰桂之孙和一王姓青年为徒,是为第六辈。

考功卿年逾八十,镂雕、篆刻、书法皆精,所刻一件核舟作品,被赞为不亚于明代魏学洢之《核舟记》描述的奇巧人王叔远之“苏轼赤壁泛舟”图。

阿　胶

任　远

山东省平阴县东阿镇,原系东阿县城。这里生产的阿胶,与人参、鹿茸并称为中药三宝。早在1915年,阿胶就曾荣获巴拿马万国博览会金牌。

东阿镇南一列列青山,孕育着洪范、日月、

书院、白雁等清泉，诸泉汇成狼溪河，北流至东阿镇。这水含多种人体所需矿物质，用狼溪河水同镇西的阿井水，以及当地黑驴皮和多味中药，可熬制成著名保养药阿胶。当地有首歌谣是："小黑驴，白肚皮，狮耳山上去吃草，狼溪河里来喝水，东阿大桥走三趟，小泰山上打个滚，冬至宰杀取来皮，熬胶还得狼溪水。"这说得虽然有点神乎其神，但由此可见阿胶生产与当地山水密不可分。

这里的阿胶微黑透黄，晶莹光亮，药效好，气味香，早在秦汉时的《神农本草经》中已有记载，北魏时即为贡品。明代李时珍在《本草纲目》中将阿胶誉为圣药。据传，清咸丰年间，慈禧孕后患病，御医百般治疗无效。为确保"龙胎"，户部侍郎陈宝妫举荐其家乡圣药——东阿镇树德堂的阿胶。慈禧服后，果然痊愈，安全地生下了同治帝爱新觉罗·载淳。咸丰帝大喜，赐给树德堂主邓发黄马褂和出入皇宫的手折。从此，清王朝每年都派钦差到东阿镇监制阿胶。

后记

文史笔记山东分册分两卷出版,《山左鸿爪》作为第一卷与读者见面了。第二卷亦将如期付梓。

两卷内容虽各有侧重，但却有相应之内在联系。两卷所设之各个栏目,细大不捐、包罗万象,拾残补缺、钩沉钓遗,可以全方位反映近百年来山东历史生活的风貌，立体化折射近现代齐鲁文化的异彩，所录史料，既可补正史之不足,又可以丰富群众的文化生活,弘扬民族的优秀传统。

第一卷《山左鸿爪》在编辑中,认真贯彻了丛书总序所提出的指导思想和全面要求，努力做到严守时限,面向本省,取材广泛,真实新鲜,篇章简短,文笔生动。另外,在对历史人物的评价方面,也本着辩证唯物主义的历史观,注意做到不虚美、不隐恶,客观公正,实事求是。

《山左鸿爪》从征稿到出版，历时一年有馀，其间深得本馆馆员热烈响应，省内外文史界专家学者和社会耆宿的热情支持，省地市县政协以及党史办、地方史志办等单位也都给予了大力帮助。另外，中央文史研究馆蒋路先生应邀担任了本卷的特约编审，认真审阅修订了全部文稿，提出了许多宝贵意见，在此一并表示感谢。

《山左鸿爪》的顺利编辑出版，与本编辑部的学术顾问齐鲁书社李玉山先生、山东文艺出版社张升明先生的热情指导以及本馆馆员王昭建、梁兆斌，工作人员宋成义、周雪平等同志齐心协力、不辞辛苦是分不开的。

海中舀水，掬一漏万，逝者如斯，过眼云烟，故选稿不当、记忆差讹，在所难免；又加新编笔记实属创举，编者经验不足，水平有限，工作中亦必然有所失误，如蒙方家与读者不吝赐教，则不胜感谢。

编　者